D0656101

SCIENCE FICTION

Herausgegeben
von Dr. Herbert W. Franke
und Wolfgang Jeschke

Vom selben Autor erschienen außerdem
als Heyne-Taschenbücher

BRIAN W. ALDISS

RAUM,
ZEIT UND NATHANIEL

Science Fiction-Stories

Deutsche Erstveröffentlichung

WILHELM HEYNE VERLAG
MÜNCHEN

HEYNE-BUCH Nr. 3406
im Wilhelm Heyne Verlag, München

Titel der englischen Originalausgabe
SPACE, TIME AND NATHANIEL
Deutsche Übersetzung von Birgit Reß-Bohusch

Redaktion: Wolfgang Jeschke
Copyright © 1957 by Brian W. Aldiss
Copyright © 1974 der deutschen Übersetzung
by Wilhelm Heyne Verlag, München
Printed in Germany 1974
Umschlagbild: C. A. M. Thole, Mailand
Umschlag: Atelier Heinrichs, München
Gesamtherstellung: Ebner, Ulm

ISBN 3-453-30301-6

INHALT

RAUM

Als T zehn Jahre alt war, hatte seine Maschine bereits die Ausläufer jener Galaxis erreicht. Eigentlich hieß er nicht T — im Labor hatte man nie daran gedacht, ihm einen Namen zu geben. T war nur das Symbol auf dem Rumpf seiner Maschine. Aber es genügte als Bezeichnung. Und wiederum handelte es sich nicht um seine Maschine; man konnte eher sagen, daß er zu ihr gehörte. Er spielte weder die Heldenrolle eines Piloten noch den bescheideneren Part eines Passagiers; er war ein Ding, dessen Nützlichkeit sich erst in zweihundert Jahren erweisen würde.

Während die Maschine durch Raum und Zeit jagte, lag er in ihrem Zentrum wie ein Wurm im Kerngehäuse eines Apfels. Er rührte sich nie; er empfand kein Verlangen danach. Aber selbst wenn es anders gewesen wäre, so hätte er seinem Wunsch nicht gehorchen können. Zum einen besaß T keine Gliedmaßen außer einem einzigen Arm, zum anderen engte ihn die Maschine von allen Seiten ein. Sie nährte seinen Körper durch Schläuche und Kanülen mit einer dünnen Lösung aus Vitaminen und Proteinen. Sie hielt sein Blut in Umlauf, mit Hilfe eines winzigen Motors, der wie ein Herz pochte. Sie entfernte seine Ausscheidungen durch eine automatische Absaugvorrichtung. Sie produzierte seinen Sauerstoffvorrat. Sie sorgte dafür, daß T weder wuchs noch verfiel. Sie achtete darauf, daß er in zweihundert Jahren am Leben sein würde.

Dafür verlangte man eine Gegenleistung von T. Er hörte ständig ein monotones Summen, und vor seinen lidlosen Augen befand sich ein Bildschirm, auf dem ein rötliches Band unablässig eine starre grüne Linie entlanglief. Das Summen bedeutete (wenn auch nicht für T) eine bestimmte Richtung im Raum, während das rote Band eine Richtung in der Zeit darstellte. Gelegentlich, vielleicht einmal in einem Jahrzehnt, veränderte das Summen seinen Klang, oder das Band wich geringfügig von der grünen Linie ab. Diese Schwankungen lösten in T's Bewußtsein augenblickliches Unbehagen aus, und er drehte an einer der beiden Skalen, bis alles wieder in gewohnter Gleichförmigkeit ablief.

Obwohl T lebte und sich dessen auch bewußt war, gehörte Einsamkeit nicht zu den Begriffen, die er kannte. Dafür hatten seine Schöpfer gesorgt. Er lag passiv da, eingebettet in künstliche Zufriedenheit. Seine Zeit wurde nicht durch Tag und Nacht unterteilt, nicht durch Wachen und Schlafen oder den Rhythmus von Mahlzeiten, sondern durch Schweigen oder Sprechen. Ein Teil der Maschine sprach in bestimmten Abständen mit ihm. Es handelte sich um kurze Monologe über Pflicht und Lohn, um Anweisungen, welche die Funktion einer simplen Apparatur betrafen, die man in zweihundert Jahren benötigen würde. Der Sprecher vermittelte T ein unvollständiges Bild seiner Umgebung. Er erwähnte weder die intergalaktische Nacht draußen noch das rasche Rückwärtsgleiten der Zeit. Der Begriff der Bewegung sagte einem lebendig begrabenen Wesen wie T ohnehin nichts. Vielmehr erzählte der Sprecher, voll Respekt und Ehrfurcht, von den Koax, und er erzählte, voll Ekel und Abscheu, von den Menschen, den Erzfeinden der Koax. Die Maschine machte T klar, daß es seine Aufgabe sein würde, die Menschheit auszurotten.

T selbst war vollkommen allein, doch die Maschine, die ihn durch Zeit und Raum trug, hatte auf ihrem Flug Gesellschaft. Elf Schiffe wie sie — von denen jedes ein Wesen wie T in seinem Innern barg — wanderten durch das Kontinuum. Dieses Kontinuum war leer und lichtlos; es stand zum All im gleichen Verhältnis wie etwa die Falte eines Seidenkleids zum Kleid selbst: wenn die Außenkanten der Falte aneinanderstießen, bildete sich in der Stoffoberfläche ein Hohlraum, der von eben dieser Oberfläche umschlossen wurde. Oder man konnte es mit der Negativität der Quadratwurzel von minus zwei vergleichen, die einen positiven Wert besitzt. Es war ein Vakuum innerhalb des Vakuums. Die Maschinen blieben unsichtbar. Sie durchdrangen die Dunkelheit wie Licht selbst und sanken gleich Steinen durch die Schichten der Jahrtausende.

Die zwölf Maschinen waren Produkte einer nichthumanoiden Rasse, die so alt war, daß sie jede Beschäftigung mit der Technik seit Äonen aufgegeben hatte. Sie war über mechanische Hilfsmittel hinausgewachsen, ebenso über die Notwendigkeit einer festen materiellen Gestalt. Und sie hatte schließlich den letzten Schritt zur Unabhängigkeit getan, indem sie sich von den Fesseln ihrer Heimatwelten löste. Ihre Geschöpfe hatten eine so große Reife erlangt, daß sie sich Koax nannten, nach der Galaxis, in der sie lebten. In diesem sicheren Eiland von ein paar Millionen Sternen bewegten sie sich frei und körperlos und sannen über das Ende des Universums nach. Aber während sie das taten, wuchs eine andere Rasse heran, in einer Galaxis so weit entfernt, daß die üblichen Dimensionen nicht ausreichten, um die Entfernung zu beschreiben. Im Gegensatz zu den Koax war diese neue Rasse extrovertiert und kriegerisch; sie breitete sich mit ungeheurer Schnelligkeit aus. Ihre Vertreter nannten sich Menschen. Es kam der Zeitpunkt, da hatte diese Rasse, die von einem winzigen Planeten stammte, ihre eigene Galaxis erobert. Eine Zeitlang ließ sie es dabei bewenden, wie um Atem zu schöpfen — die Spanne zwischen den einzelnen Sternen ist armselig im Vergleich zu dem Abgrund, der die Sternenstädte der Galaxien trennt — aber dann gelang es ihr, das Verhältnis zwischen Raum und Zeit in Gleichungen auszudrücken, und sie brach zu den Nachbargalaxien auf, ausgerüstet mit der mächtigsten aller Waffen, der Stase. Die zeitliche Abhängigkeit zwischen Masse und Energie, die den Lauf des Universums bestimmt, ließ sich, so entdeckten die Menschen, in weniger dichten Galaxien verschieben, wenn man ihre Orbitalbewegung hemmte — wenn man, mit anderen Worten, den Zeitfaktor fixierte. Die davon betroffenen Gebiete machten den Universalzeitfluß nicht mehr mit und hörten auf zu existieren. Aber der Mensch hatte es nicht nötig, diese tödliche Waffe einzusetzen, denn bei seinem Vorstoß ins All traf er nirgends auf Rivalen. Er schien als einziges Lebewesen dazu auserwählt, vom Universum Besitz zu ergreifen. Die zahllosen unbewohnten Planeten, die der Mensch vorfand, unterstrichen nur, daß intelligentes Leben ein Zufall war. Und dann gelangte die Menschheit in das Territorium der Koax.

Die Koax bemerkten die fremde Rasse sehr viel schneller, als dies umgekehrt der Fall war, und sie erschauerten bei dem Gedanken, daß die donnernden Antriebe der Großen Flotte schon bald ihre Galaxis erschüttern und die nur lose verteilte Materie der Koax zerreißen könnten. Sie handelten rasch. Eine Gruppe ihrer größten Denker versammelte sich auf einem dunklen Zwergstern und traf Vorbereitungen, die Eindringlinge mit allen Mitteln zu bekämpfen. Die Koax besaßen ein paar nützliche Talente, darunter die Fähigkeit, den Kurs von Sonnen zu bestimmen und zu verändern. Und so flammte in der Umgebung der Großen Flotte eine Nova nach der anderen auf. Aber die Menschheit kam unaufhaltsam näher. Wie eine Sintflut quoll sie auf die Koax zu. Aus einem kleinen, verängstigten Stamm, der ein paar hundert Seelen zählte und sich nur mühsam gegen die Unbilden seiner Heimatwelt behauptete, hatte sich ein mächtiges Volk entwickelt, dem nichts widerstand. Als nun die Koax immer mehr Schiffe der Großen Flotte zerstörten, beschloß man, ihre Galaxis durch Stase auszurotten. Umfangreiche Vorbereitungen liefen an, und die Streitkräfte der Menschheit sammelten sich zum entscheidenden Schlag.

Da erbeuteten die Koax ein Schiff der Großen Flotte, das eine umfangreiche Bibliothek an Bord hatte. Sie gab ihnen Aufschluß über die lange, wirre Geschichte der Menschheit. Es wurde sogar ein Plan des Sol-Systems aus jener Zeit gefunden, als der Mensch in den Raum aufgebrochen war. Die Koax erfuhren zum erstenmal von den Planeten, welche die Sonne umkreist hatten; denn inzwischen war Sol nur noch ein schwach glimmender Stern am anderen Ende des Universums, der die doppelte Ausdehnung des einstigen Systems besaß. Im Laufe von Äonen hatte die Sonnenmasse einen Planeten nach dem anderen aufgesogen; selbst Pluto war nur noch Asche. Die Koax entwickelten schließlich einen Plan, der sie für immer von dem lästigen Feind befreien sollte. Da es ihnen in der Gegenwart nicht gelingen wollte, die unerschöpflichen Reserven des Menschen zu überwinden, dachten sie sich einen teuflischen Plan aus, ihn in der Vergangenheit zu besiegen, zu einer Zeit, da er noch gar nicht existierte. Sie konstruierten ein Dutzend Maschinen, die einzig und allein die Aufgabe hatten, sich durch Zeit und Raum rückwärts zu bewegen und die Erde in einer Epoche zu zerstören, als sich der Mensch noch nicht auf ihr ausgebreitet hatte. Man hatte alles so berechnet, daß die Schiffe während des Silurs auf der Erde ankommen und den Planeten in seine Atome auflösen sollten. Das war die Geburtsstunde von T.

»Sie entkommen uns nicht«, verkündete einer der klügsten Koax triumphierend, nachdem alles gründlich erörtert worden war. »Wenn diese alten Aufzeichnungen stimmen — und warum sollten sie es nicht? — dann wurde Sol ursprünglich von neun Planeten umkreist. Selbst die Namen kennen wir, dank der Sentimentalität des Menschen: Pluto, Neptun, Uranus, Saturn, Jupiter, Mars, Erde, Venus und Merkur. Die Erde ist also die siebente Welt von außen oder die dritte, die in der Sonne verglühte. Sie stellt unser Ziel dar. Ein winziger Punkt in Raum und Zeit, das gebe ich zu, aber wir werden ihn nicht verfehlen. Die Menschheit *muß* sterben!«

Die Berechnungen stimmten. Die Maschinen zerstörten den siebenten Planeten. Die Menschen erhielten gar nicht die Chance, T und seine elf Gefährten zu bekämpfen, denn sie entdeckten nie das Kontinuum, welches die Schiffe durchschnitten. Die Möglichkeit, sie aufzuspüren, war umgekehrt proportional zu der Entfernung, die sie zurücklegten, denn als sich die Schiffe der Koax der Ursprungsgalaxis der Menschenrasse näherten, war die Zeit zurückgeschraubt bis zu jenem Augenblick, da der Mensch sich erstmals in Richtung Milchstraße wagte. Die Maschinen drangen weiter vor, und die Zeit wich noch mehr zurück. Die Koax waren jetzt eine junge Rasse, die das Geheimnis des tiefen Raumes nicht kannte und weit, weit weg am anderen Ende des Universums lebte. Der Mensch selbst besaß nur ein paar altmodische Raumschiffe, die mit chemischen Treibstoffen funktionierten, und hatte kaum mehr als ein halbes Hundert Systeme erforscht. T lag immer noch im Schoß seiner Maschine. Er wartete und wartete. Die zweihundert Jahre seiner Existenz — des langen Ausharrens — neigten sich dem Ende zu. Irgendwo in seinem kalten Innern steckte das Wissen, daß allmählich der Höhepunkt heranrückte. Nicht alle seiner Gefährten konnten diesen Moment erleben, denn die Maschinen, beim Start noch ohne jede Störung, entwickelten im Laufe der langen Reise Defekte, denn immerhin entsprachen die zweihundert Jahre einer Entfernung von etwa neunhundertfünfzig Millionen Lichtjahren. Die Koax besaßen zwar eine natürliche mathematische Begabung, aber sie waren über das Stadium der technischen Hilfsmittel längst hinausgewachsen, als sie die Schiffe konstruierten — andernfalls hätten sie wohl Relaissysteme entworfen, die T's Aufgabe würden übernommen haben.

Eine der Maschinen flößte ihrem Insassen zuviel Nährlösung ein, und er starb unter entsetzlichen Qualen, weil er aufgedunsen gegen die Stahlwände seiner Kammer gepreßt wurde und sich schließlich selbst die Luft abschnürte. Bei einer anderen Maschine zersprang ein Regelventil, und im Zeitantrieb entstand ein Kurzschluß. Sie tauchte im Normalraum auf und wurde in eine veränderliche Sonne vom Typ M gezogen. Bei einer dritten versagte das Steuersystem, und sie raste mit ständig wachsender Beschleunigung dahin, bis sie mitsamt dem Geschöpf in ihrem Innern verglühte. Der Insasse einer vierten Maschine verlor plötzlich den Verstand und betätigte den Hebel, der noch mehr als hundert Jahre hätte ruhen sollen. Sein Schiff löste sich in eine radioaktive Wolke auf und vernichtete dabei zwei weitere Maschinen.

Als das Sol-System nur noch ein paar Lichtjahre entfernt war, schalteten die restlichen Maschinen den Hauptantrieb aus und tauchten im normalen Raum Zeit-Kontinuum auf. Nur drei hatten die Reise unversehrt vollendet, T und zwei andere. Sie steuerten einen Raumbereich an, in dem sich zu diesem Zeitpunkt keinerlei intelligentes Leben befand. Junge Sonnen, eben erst aus dem Schoß der Schöpfung geboren, warfen ihr Licht auf neue Planeten. Noch war der Mensch Urschlamm. Weder Sonnen noch Planeten trugen Namen. Über der Erde schwebten die Dämpfe des frühen Silurs, und in den Wassertümpeln regten sich die ersten Mollusken und Trilobiten. T konzentrierte sich auf den siebenten Planeten. Es hatte keinerlei Schwierigkeiten bereitet, die Maschine in den Normalraum zurückzuholen; nun mußte er nur noch einen kleinen Druckmesser im Auge behalten. Sobald das Schiff in die höchsten Schichten der Atmosphäre des siebenten Planeten tauchte, würde sich der Zeiger dieses Geräts in Bewegung setzen und über die Skala wandern, bis er einen deutlich markierten Strich erreichte. Das war für T das Signal, an einem kleinen Handrad zu drehen; dadurch entfernte er die Regelstäbe, aber das wußte er nicht. Man hatte ihm das Wie eingehämmert, nicht das Warum. Danach galt es, zwei weitere Skalen zu beobachten. Wenn sie beide den gleichen Wert anzeigten, mußte T einen kleinen Hebel herunterziehen. Der Sprecher hatte ihm das alles in regelmäßigen Abständen erklärt. Die Folgen dieses Tuns erklärte er nicht, aber T wußte, daß es den Untergang der Menschheit bedeutete, und das befriedigte ihn.

Der siebente Planet tauchte vor dem stumpfen Bug von T's Maschine auf und schwoll an. Es war eine junge Welt, eine Welt mit vielversprechender Zukunft. Als T in die Atmosphäre eindrang, setzte sich der Zeiger des Druckmessers tatsächlich in Bewegung. Zum erstenmal durchzuckte T's Gehirn so etwas wie Freude. Er hatte keine Ahnung von dem Panorama, das sich unter ihm ausbreitete, denn die Maschine war nicht mit Sichtluken ausgestattet. Seine Augen hatten nie etwas anderes als das schwach leuchtende Instrumentenbord erblickt. Er verhielt sich genau so, wie es ihm die Koax eingeschärft hatten. Als der Zeiger die Markierung erreichte, drehte er an dem Handrad, und die beiden anderen Meßgeräte begannen zu ticken. Die Maschine sank durch die Stratosphäre des siebenten Planeten. Die Detonation sollte erfolgen, kurz bevor die Maschine auf dem Boden zerschellte. Die Koax kannten den Aufbau des Planeten nicht, und so mußten sie sichergehen, daß die kritische Masse der Bombe erreicht war, ehe T etwas Unvorhergesehenes zustoßen konnte. T zog den kleinen Hebel herunter, als sich die Maschine noch zwanzig Meilen über der Oberfläche des Planeten befand. Einen winzigen Moment lang bereitete ihm das Chaos, das er auslöste, Genugtuung, dann war es um ihn geschehen.

T's Aktion hatte vollen Erfolg. Der siebente Planet existierte nicht mehr. Den beiden anderen Maschinen erging es weniger glänzend. Eine verfehlte das Sol-System ganz und wanderte weiter in die Tiefen des Raums, ein winziger Punkt, dessen Fracht geduldig auf den Tod harrte. Die zweite kam dem Ziel näher. Sie schwenkte auf einem ähnlichen Kurs wie T ein und detonierte hoch über dem sechsten Planeten, der in riesige Felstrümmer zerfiel. Diese suchten sich zwischen dem fünften und achten Planeten neue Umlaufbahnen. Der neunte Planet wurde von diesen Ereignissen überhaupt nicht berührt. Ruhig umkreiste er die Sonne, begleitet von seinem hellen Trabanten, und in seinem Schoß keimte das erste Leben.

Die Koax erreichten ihr Ziel. Sie hatten ihre Berechnungen auf den siebenten Planeten abgestimmt und ihn auch getroffen. Aber die Folgen ihres Handelns waren natürlich bereits in der Sternenkarte eingetragen, die ihnen in die Hände fiel. Wenn sie die Reihenfolge richtig gelesen hätten — Pluto, Neptun, Uranus, Saturn, Jupiter, der Asteroidenplanet, der von T vernichtete siebente Planet, Mars, Erde, Venus und Merkur. So lautete die richtige Reihenfolge.

Auf der neunten Welt des Sol-Systems wagten sich die Mollusken langsam aus ihren Tümpeln ans Licht.

Es war ein Tag wie geschaffen zum Umherstreifen. Der kurze, heftige Frühling der arktischen Zone hatte das öde Land mit wimmelndem Leben überschüttet. Die Wildnis blühte. Seeschwalben und goldene Regenpfeifer versanken halb in dem Blumenmeer. Felder aus blauem Eiskrokus erstreckten sich meilenweit in die Ferne. Sie erinnerten an flache Tümpel, in denen sich der klare Himmel spiegelte. Und am nahen Horizont stieg die Barriere schneebedeckter Berge auf, hoch und rein.

Sie waren insgesamt fünf: der Prediger, Aprit, Woebee, Calurmo und Kleines Licht. Der Prediger ging voran, wie immer. Sie erreichten eine Anhöhe, und zu ihren Füßen lag das Tal, frisch und leuchtend. Auch das Raumschiff befand sich dort unten.

Mit einem erregten Schrei stürmte Calurmo davon, mitten durch die Blumen. Die anderen fingen seine Gedanken auf und folgten ihm unter Lachen und Rufen.

Für sie war es der wichtigste Fund in der farbenprächtigen Ebene. Calurmo berührte die Blüte als erster, und dann standen alle herum und betrachteten sie. Der Prediger beugte sich nieder und roch daran.

»Ja«, meinte er. »Eindeutig Sauerklee. *Ocalis acetosella*. Wie klug von ihm, ausgerechnet hier zu sprießen.« In seinen Gedanken schwang eine gewisse Frömmigkeit mit. Das war immer so. Deshalb nannten sie ihn auch Prediger.

Erst danach bemerkten sie das Raumschiff. Es war hoch und mächtig und nahm den Pflanzen eine Menge Platz weg. Obendrein hatte es ein großes Gewicht, denn sein Rumpf war tief in die tauende Erde eingesunken.

»Hübsch«, stellte Woebee fest, nachdem er die Runde um das Schiff gemacht hatte. »Was mag es wohl darstellen?«

Hoch über ihre Köpfe ragte es auf. Ganz oben saß ein

Eistaucher, plusterte sein Gefieder und stieß hin und wieder seinen Schrei aus, einen Schrei, der die Leere ausdrückte. An der Schattenseite schmiegte sich ein Schneerest gegen den Metallrumpf. Das Metall war wundervoll glatt, aber dunkel und glanzlos.

»So schwerfällig das Ding hier unten wirkt, es endet in einer dünnen Nadel«, meinte der Prediger, der mit zusammengekniffenen Augen in die Sonne blinzelte.

»Aber was stellt es dar?« wiederholte Woebee; dann begann er zu singen, um zu zeigen, daß er sich seiner Unwissenheit nicht schämte.

»Es wurde *gemacht*«, sagte Aprit vorsichtig. Das hier war etwas ganz anderes als der Umgang mit Sauerklee; sie hatten nie zuvor über Raumschiffe nachgedacht.

»Man kann von hier aus ins Innere gelangen«, sagte Kleines Licht und deutete. Er sprach selten, aber wenn er es tat, unterstrich er seine Worte meist durch Deuten.

Sie kletterten in die Luftschleuse, alle außer Calurmo, der sich immer noch über den Sauerklee beugte. Das duftende Pseudo-Bewußtsein der Pflanze zitterte in der jungen Sonnenwärme vor Glück. Calurmo summte leise vor sich hin, beharrlich und ermutigend, und nach einiger Zeit löste sich die Pflanze aus dem Boden und kroch auf seine Hand.

Er hielt sie dicht vor die großen Augen und ließ seine Gedanken sanft durch ihre Wurzeln gleiten. Langsam wanderten sie den Stengel hoch, tasteten sich in eines der gelbgrünen, dreilappigen Blätter und erforschten die saftige Substanz. Calurmo wandte Druck an. Erst zögernd, dann erregt, gab die Pflanze seinem Drängen nach, und es entstand eine neue Blüte mit fünf Kelchblättern, fünf Kronblättern, zehn Staubgefäßen und fünf Stempeln, völlig identisch mit den rosa gestreiften Trichtern, die von selbst gewachsen waren.

Calurmo lehnte sich zurück und lächelte. In seinen Gedanken war immer noch ein Hauch von Oxalsäure. Eine Mutation hervorzubringen, das erforderte nicht viel; aber etwas ganz und gar Naturgetreues zu schaffen — wie sich die anderen freuen würden!

»Calurmo!« Das war Aprit, im Verschwörerton, fast ein wenig schuldbewußt. »Sieh doch, was wir entdeckt haben!«

Obwohl Calurmo wußte, daß nichts so großartig wie die Sauerkleeblüte sein konnte, sprang er auf. Sie waren es gewohnt, ihre Erlebnisse zu teilen. Er kletterte in die Luftschleuse und folgte Aprit durch das Schiff, die Hand schützend um seine Blume gelegt.

Die anderen streiften neugierig durch den Kontrollraum, der sich hoch oben im Bug befand.

»Komm und wirf einen Blick ins Tal!« forderte Kleines Licht ihn auf und deutete in die Tiefe, wo sich das Land in ganzer Farbenpracht ausbreitete. Sie sahen einen mächtigen Strom, für kurze Zeit von seiner Eisdecke befreit, in dem es von laichenden Fischschwärmen wimmelte.

»Das ist herrlich«, sagte Calurmo schlicht.

»Wir haben in der Tat einen merkwürdigen Fund gemacht«, stellte der Prediger fest und strich über einen breiten, gepolsterten Sitz. »Wie lange mag das Ding hier stehen? Es strahlt hohes Alter aus.«

»Ich kann euch verraten, wie lange es hier steht«, sagte Woebee. »Durch die Ritzen des Eingangs drang Schnee, der im Innern taute. Das Schmelzwasser konnte nicht mehr ablaufen, und ich habe es untersucht. Seit sich die ersten Tropfen bildeten, haben die Jahreszeiten zwölftausendmal gewechselt.«

»Was?« rief Aprit. »Das wären dreitausend Jahre!«

»Nein, viertausend. Ihr wißt, daß ich den Winter nicht mitrechne.«

Ein Wildgänsekeil stob auseinander, als er sich dem Schiffsbug näherte, und rückte gleich darauf wieder zu einer ordentlichen Formation zusammen. Aprit fing die militärischen Gedanken der Tiere auf.

»Wir hätten öfters hierherkommen sollen«, meinte Calurmo bedauernd und sah die Sauerkleepflanze an. Die winzigen Blüten waren so schön.

Als nächstes galt es herauszufinden, was sie entdeckt hatten. So schlenderten sie durch den Kontrollraum und registrierten gemeinsam alle Einzelheiten, gelassen und ohne an die höhere Vernunft zu denken, die hinter ihrem beinahe instinktiven Handeln stand. Es dauerte fünf Minuten, bis sie alles wußten, nur fünf Minuten, obwohl sie völlig aus dem Nichts begannen; denn das Schiff stellte das Produkt einer technischen Zivilisation dar, die ihnen absolut fremd und unbekannt war. Obendrein hatte man es für Reisen in die Tiefe des Raums konstruiert, und Antrieb, Anlagen und Instrumente waren entsprechend komplex. Aber der besondere Aufbau — nur in wenigen Schiffen seiner Klasse wiederholt — ließ keinen Zweifel an seinem Zweck und seinen Funktionen, zumindest nicht für Calurmo und die anderen. Sie lasen die Aufgaben des Schiffes von seiner Form ab, wie man das Aussehen einer Hand von einem gefundenen Handschuh ablesen kann.

Sie hielten sich nicht lange mit dem Konzept eines Raumschiffs auf. Wie Aprit feststellte, besaßen sie selbst weit weniger schwerfällige Methoden, um interplanetarische Strecken zurückzulegen. Aber einige andere Folgerungen, die sie aus der Konstruktion zogen, waren faszinierend.

»Licht ist das schnellste Element in unserem Universum und das langsamste in der Dimension, die das Schiff durchquert«, sagte Woebee. »Solche Dinge entdeckt nur eine kluge Rasse.«

»Es muß sich um Wesen handeln, die es nicht fertigbrachten, im eigenen Körper Energie zu speichern«, entgegnete Kleines Licht.

»Obendrein konnten sie sich schlecht orientieren«, fügte der Prediger hinzu und deutete auf die Geräte, die zur Astronavigation dienten.

»Es gibt also noch andere Sterne, die von Planeten umkreist werden«, meinte Calurmo nachdenklich. Er grübelte über diese neue Möglichkeit nach.

»Und vernunftbegabte Geschöpfe auf diesen Planeten«, sagte Aprit.

»Nicht vernunftbegabt«, widersprach Kleines Licht. Er deutete auf das Geschützpult. »Das hier dient der Zerstörung.«

»Jedes Geschöpf besitzt in irgendeiner Weise Vernunft«, sagte der Prediger.

Sie betätigten die Schalter. Das alte Schiff knirschte und erzitterte. Es erweckte den Anschein, als wolle es sich nicht mehr vom Fleck rühren. Vielleicht hatte es zu viele Jahre und zu viel Schnee erlebt.

»Es war auch so zufrieden, ohne zu den Sternen zu fliegen«, murmelte Woebee.

»Regen muß in den Wasserstoff gelangt sein«, sagte Aprit.

»Wirklich merkwürdig, so ein Ding zu bauen«, meinte der Prediger ernst. »Kein Wunder, daß die Geschöpfe, die es benutzten, es einfach hier stehenließen.«

Die manuelle Steuerung war ihnen zu langweilig; sie gaben die nötigen Impulse direkt an den Antrieb weiter. Die schimmernde Ebene unter ihnen kippte und schrumpfte zu einem grünen Penny, der zwischen dem Weiß und Blau von Land und Meer lag. Dann krümmte und verzerrte sich der Saum des Ozeans, bis das Wasser nicht mehr war als der Ausschnitt einer großen Kugel, die in die Tiefe zu sinken schien. Je weiter sich das Schiff entfernte, desto heller schimmerte sie.

»Ein herrlicher Anblick«, stellte der Prediger fest.

Aprit sah nicht hinaus. Er war in den Computer gekrochen und tastete sich mit einem seiner Sinne durch Relais und Stromkreise in den Speicher- und Logiksektor. Er schnalzte selig, als die Daten in sein Gehirn flossen. Sobald er sie alle aufgesaugt hatte, kehrte er zu den anderen zurück.

»Äußerst raffiniert«, meinte er und erklärte die Funktion des Computers. »Aber von einer Rasse konstruiert, deren Wissenschaft stark durch den Glauben beeinträchtigt wurde. Sie wußte nicht, wo sie den echten Forschritt zu suchen hatte.«

»Es ist sehr laut, findet ihr nicht?« stellte der Prediger fest, in einem Tonfall, als wolle er das eben Gesagte bestätigen.

»Der Lärm zeigt an, daß etwas nicht in Ordnung ist«, sagte Calurmo ruhig. »Es handelt sich um ein Alarmsignal.«

Das Kreischen drang auf sie ein, bis Aprit es abstellte.

»Vermutlich machen wir irgend etwas falsch«, seufzte er. »Ich sehe einmal nach. Warum schrillt die Glocke aber auch hier und nicht an der Stelle, wo es Schwierigkeiten gibt?«

Als Aprit den Kontrollraum verließ, deutete Kleines Licht auf den riesigen Kugeltank, in dem sich eine bernsteinfarbene Flüssigkeit befand. Die Sterne der Galaxis waren darin eingebettet wie Diamanten. »Wir könnten diesen Welten einen Besuch abstatten«, schlug er vor und verschob die Skalen, bis ein Tangentialkurs zwischen der Erde und ein paar dichtgedrängten Sternsystemen im Zentrum der Galaxis aufleuchtete. »Ich bin sicher, daß es uns dort gefällt. Ob in manchen Gebieten auch Sauerklee wächst? Auf der Venus gibt es nämlich keinen.«

Während er sprach, verstellte er den Kursintegrator, las die Koordinaten ab und gab sie dem Computer ein. Er tat das so geschickt, als habe er die zweijährige Ausbildung in Navigation hinter sich, die für alle Astronauten Pflicht war.

Aprit kam lächelnd zurück.

»Ich habe die Sache in Ordnung gebracht«, meinte er. »Nur eine kleine Unachtsamkeit. Wir ließen die Schleusentür offen, als wir hereinkamen, und die Luft strömte aus. Deshalb das Alarmsignal.«

Als sie etwa zwei Parseks vom Zweiten Imperium entfernt waren, tauchte ihr Schiff auf den Radarschirmen der vorgeschobenen Kolonie Kyla auf. Ein Wachboot machte seine Position aus und gab eine Beschreibung an den Hauptstützpunkt von Kyla-I durch. Man verständigte ein halbes Dutzend Nebenstützpunkte und die Nadler-Flotte, die sich zu diesem Zeitpunkt zwei Lichtjahre von Kyla entfernt aufhielt.

Hauptstützpunkt an Flaggschiff *Pointer*, Nadler-Flotte 305A: Nichtidentifiziertes Schiff, Masse 40 000 Tonnen, nähert sich dem Zentrum der Galaxis. Geschätzte Geschwindigkeit 20 SLE. Könnt ihr es abfangen?

Flaggschiff *Pointer* an Hauptstützpunkt, Kyla-I: Sind schon dabei.

Hauptstützpunkt an Flaggschiff *Pointer*: Eindringling wird über sämtliche Kommunikationssysteme angerufen. Antwortet nicht.

Pointer an Hauptstützpunkt: Einsilbiger Charakter. Scheint aus der Gegend Omega Y76 W592 zu kommen. Richtig?

Hauptstützpunkt an *Pointer*: Richtig.

Pointer an Hauptstützpunkt: Erde?

Hauptstützpunkt an *Pointer*: Sieht so aus.

Pointer an Hauptstützpunkt: Haltet euch bereit, falls es Schwierigkeiten gibt.

Hauptstützpunkt an *Pointer*: Könnte natürlich auch eine List sein.

Pointer an Hauptstützpunkt: Natürlich. Wir starten. Ende.

Großadmiral Rhys-Barley, der Kommandant des Nadler-Schiffes *Pointer*, war noch verhältnismäßig jung. Der Permanente Krieg hatte sich günstig auf seine Karriere ausgewirkt. Dennoch waren die vierunddreißig Jahre in der Raumflotte nicht spurlos an ihm vorübergegangen; sie hatten vor allem an seiner Menschlichkeit gezehrt. Sein Gesicht, unter dem Druck von vier g purpurn verfärbt, wirkte grimmig, als er die Bugschirme anstarrte. Hin und wieder fauchte er Deeping an.

Deeping versuchte, nicht an die Rangabzeichen auf Rhys-Barleys Uniform zu denken, und konzentrierte sich verbissen auf den kleinen Projektor. Bild um Bild erschien auf dem Nebenschirm und wurde sofort von einem Wählmechanismus aussortiert. Darin lag die Schwierigkeit: das fremde Schiff, das aus einem Quarantäne-Sektor kam, ließ sich nicht identifizieren. Der Archivcomputer, der mit einer Kamera in Verbindung stand, erkannte es nicht, und nun mußten alte Aufzeichnungen per Handschaltung überprüft werden; auch hier schien sich ein Mißerfolg abzuzeichnen.

Wieder warf der unglückliche Deeping einen Blick auf das Foto des fremden Raumschiffes. Er schwitzte. Eindeutig nichthumanoider Herkunft; aber es stand auch so gut wie sicher fest, daß es nichts mit den Boux zu tun hatte. Oder handelte es sich, wie man im Hauptstützpunkt vermutete, tatsächlich um eine List des Feindes? Die *Pointer* hatte den Abstand bis auf ein halbes Parsek verringert. Das war bereits Schußreichweite — und vielleicht eröffnete der Eindringling das Feuer.

Angst, dachte Deeping. Mein Magen verkrampft sich vor Angst. Er kennt all ihre Abstufungen, vom hilflosen Entsetzen angesichts der Boux bis zu dem feigen Zittern vor Rhys-Barleys Polterstimme. Verzweifelt schaltete Deeping auf das nächste Bild weiter. Ein Klingelzeichen ertönte.

Der Großadmiral stürzte sich wie ein Habicht auf die Lochkarte, die ausgestoßen wurde. Noch während er die Daten las, kündigte ein Knirschen an, daß die Traktorstrahlen der *Pointer* und eines Schwesterschiffs den Fremdling erfaßt hatten. Einen Moment lang schwankte das Schwerefeld unter der zusätzlichen Belastung, dann hatte es seine Ausgangsstärke wieder erreicht.

»Bei Wega!« rief Rhys-Barley und hielt die Karte Kapitän Hardick unter die Nase. »Was halten Sie davon? Unsere Leute sollen vorsichtig mit dem Ding da draußen umgehen. Sie haben es mit einem Stück Geschichte zu tun. Ein Schiff aus dem Ersten Imperium, das vor etwa viertausendsiebenhundert Jahren auf Luna, dem Erdtrabanten, gebaut wurde! Windsor-Klasse, mit einem Spannell-XII-Lichtantrieb. Schon mal was von einem Spannell-Antrieb gehört, Captain?«

»Tut mir leid, Sir, das war lang vor meiner Zeit.«

»Deeping, setzen Sie sich mit der Funkzentrale in Verbindung! Wir benötigen von Kyla-I Einzelheiten über sämtliche Schiffe der Windsor-Klasse, wann sie außer Dienst gestellt wurden und so fort. Etwas an der Sache erscheint mir faul. Ich möchte nur wissen, woher das Ding kam ...«

Die Neugier machte Rhys-Barley ganz zappelig und nahm ihm etwas von seiner gewohnten Würde. Deeping entspannte sich so weit, daß er seinem Kumpel am Geschützpult verstohlen zublinzelte.

Das fremde Schiff war nun mit bloßem Auge durch die Sichtluken zu erkennen, ein winziger glitzernder Splitter, etwa eine Meile entfernt. Die Traktorstrahlen fingen seine ungeheure Geschwindigkeit ab. Nun kam das Wachboot, das den Eindringling zuerst entdeckt hatte, auf die *Pointer* zu. Es leuchtete fahlrot, kaum sichtbar gegen die verschwenderische Helligkeit der zentralen Sternsysteme. Ein Boot von der *Pointer* jagte ihm entgegen. Es schleppte ein langes Kabel hinter sich her. Die beiden Boote führten ein Kopplungsmanöver durch, dann kehrten sie um, näherten sich dem Windsor-Schiff und berührten kurz seinen Rumpf. Im Nu war der Fremdling von der blaßgelben Korona einer Energiebarriere umgeben.

Die Besatzung der *Pointer* atmete freier. Auch die stärksten Geschütze konnten diese Abschirmung nicht durchdringen.

»Holt das Ding herein!« befahl der Captain.

Sein Befehl wurde bestätigt. Langsam kam das fremde Schiff näher.

Rhys-Barley warf erneut einen Blick auf die Skalen des Enzephalofons. Keinerlei Ausschlag. Aber die Zeiger zitterten, als seien sie ihrer Sache nicht ganz sicher. Vielleicht hatte man ein Geisterschiff eingefangen; die Gehirnwellen von Lebewesen, ganz gleich, ob es nun Menschen oder Boux waren, hätte das Gerät längst aufgezeichnet.

Die Spannung kletterte wieder höher, als der Fremdling die *Pointer* erreichte. Das Angleichen der Geschwindigkeiten war ein kritisches Unterfangen, und das Manöver brachte eine Menge Lärm mit sich, der durch das ganze Schiff hallte. Eine Schande, daß man es selbst im Zeitalter der Supertechnik noch nicht geschafft hatte, eine vernünftige Schalldämpfung herbeizuführen, dachte Rhys-Barley mißmutig. Das Deck unter seinen Füßen schwankte ein wenig.

Deeping reichte ihm einen Zettel mit den neuesten Auskünften von Kyla-I. Insgesamt hatte es vier Schiffe der Windsor-Klasse gegeben. Drei davon waren vor mehr als dreitausend Jahren auf Schrottplätzen gelandet. Das vierte hatte man während der großen Invasionswellen, die zum Untergang des Ersten Imperiums führten, aus Treibstoffmangel auf der Erde stehen gelassen. Es hieß *Regalia*.

»Das muß unser Vogel sein«, sagte Rhys-Barley. »Ich schlage vor, daß wir den Verhörraum aufsuchen, Captain.« Die beiden verstellten ihre Hand-Synchros und betraten den Teleporter.

Unmittelbar danach tauchten sie neben dem fremden Schiff auf. Der Fremdrassen-Experte wartete bereits. Einen Moment lang genoß er seine Wichtigkeit, als er die Batterien der Aufnahmegeräte überprüfte, die Taststrahlen und all die anderen verborgenen Spielereien, mit denen man die *Regalia* untersuchen konnte. Das eingefangene Schiff erinnerte an einen kleinen Wal, der in einer Riesenhöhle gestrandet ist.

Der Prediger kam als erster aus der Luftschleuse, weil er überall den Anfang machte. Dann folgten Calurmo und April. Sie blieben stehen, um die kristallinen Gebilde an der Außenwand der Schleuse zu begutachten. Nach ihnen tauchten Woebee und Kleines Licht auf. Gemeinsam starrten sie das nüchterne, graue Metall an, das sie umgab.

»Das ist kein sehr schöner Planet«, stellte der Prediger fest.

»Es ist nicht der, den Kleines Licht auswählte«, erklärte Woebee.

»Seid nicht albern, ihr beiden,« entgegnete Calurmo ein wenig streng. »Das hier ist kein Planet, sondern etwas, das *gemacht* wurde. Setzt eure Sinne ein!«

»Sprechen wir mit den Lebewesen da drüben«, meinte Kleines Licht und deutete. »Sie stehen hinter einer Wand, die sie unseren Blicken entziehen soll.«

Er schlenderte zu Rhys-Barley hinüber und klopfte gegen den Verzerrschirm.

»Ich kann dich sehen«, sagte er. »Siehst du mich auch?«

»Also schön, schaltet den Schirm aus«, fauchte Rhys-Barley.

Die dunkle Färbung seines Gesichts hatte nun nichts mehr mit dem Beschleunigungsdruck zu tun.

»Keinerlei Hinweis auf verborgene Energie oder Explosionswaffen, Sir«, berichtete der Fremdrassen-Experte. »Darf ich mit der Befragung beginnen?«

»Bitte.«

Der Fremdrassen-Experte trug eine schwarze Uniform. Sein Haar war weiß, sein Gesicht grau. Er hatte ein kantiges Kinn. Der Prediger fand ihn nett und trat auf ihn zu.

»Sind Sie der Kapitän dieses Schiffs?« fragte der Fremdrassen-Experte.

»Tut mir leid, diese Frage verstehe ich nicht«, entgegnete der Prediger.

»Wer befehligt dieses Schiff — die *Regalia*?«

»Das begreife ich ebensowenig. Was meint er wohl, Calurmo?«

Calurmo tastete den riesigen Raum ab, in dem sie standen. Seine Aufmerksamkeit wandte sich einen Moment lang den kleinen Denkmechanismen in der Decke zu, die die Lungentätigkeit der Lebewesen überwachten und den Luftvorrat darauf abstimmten. Dann erforschte er die winzigen Ströme und Impulse, die unablässig in den Wänden und durch den Boden flossen, Temperatur und Schwerkraft einstellten und jede noch so kleine Metallermüdung registrierten; er beschnupperte die Luft, chemisch rein, mikrobensicher und nichtleitend. Nirgends entdeckte er Leben, und einen Moment lang dachte er an das Land, das sie verlassen hatten, an die laichenden Fischschwärme im Strom und die Walrosse, die sich im Meer tummelten.

Er unterdrückte diese Vision und versuchte die Frage des Predigers zu beantworten.

»Wenn er meint, wer das Schiff in Gang brachte, das waren wir alle«, sagte er. »Kleines Licht stellte die Richtung ein, Woebee und ich kümmerten uns um den Treibstoff . . .«

»Mir gefällt es hier nicht, Calurmo«, unterbrach ihn April. »Diese Wesen riechen so merkwürdig . . .«

»Nach Angst«, sagte Calurmo, froh darüber, daß ihn ein

Freund unterbrach. »Nach innerer und äußerer Angst. Ich erkläre euch das später. Sie haben eine Art Schwerkraftbarriere errichtet, und ich kann ihre Gefühle nicht lesen, aber ihre Gedanken sind klar genug.«

»Zu klar«, meinte Woebee lachend. »Sie haben Angst vor jedem, der nicht wie sie aussieht. Wenn aber jemand wie sie aussieht, zeigen sie sich auch mißtrauisch. Ich schlage vor, wir kehren zurück zu unserem Schnee; es hat viel mehr Spaß gemacht, jenes Gebiet zu durchstreifen.«

Er drehte sich um und wollte auf die *Regalia* zugehen. Sofort senkte sich von der Decke eine Konstruktion aus Duralstäben und Röntgenstrahlen und hielt die Freunde in fünf Einzelzellen fest. Einen Moment lang standen sie verwirrt in ihren schimmernden Käfigen.

Der Fremdrassen-Experte kam grimmig näher. »Und nun werdet ihr meine Fragen beantworten!« sagte er. »Es tut mir leid, daß wir solche Methoden anwenden müssen, um eure Aufmerksamkeit zu gewinnen. Die Translatoren, die es uns gestatten, miteinander zu sprechen, verlaufen durch den Boden und werden dann per Funk an den Hauptstützpunkt weitergeleitet. Von dort erhalte ich die Übersetzung. Es dürfte euch schwerfallen, uns bei diesem System größeren Schaden zuzufügen. Außerdem durchdringt nichts die elektronische Barriere, die wir gegen euch errichtet haben. Mit anderen Worten, ihr sitzt in der Falle. Ich bitte um klare Antworten, Leute! Verstanden?«

»Da ist erst einmal eine klare Antwort für euren Translator«, sagte Aprit. Für den Bruchteil einer Sekunde wirkte er sehr konzentriert. Vom Deck stieg Rauch auf. Ein Dutzend verschiedener Alarmvorrichtungen klickten und schrillten. Sie gaben unerbittlich Zeugnis von dem angerichteten Schaden.

Vom Stützpunkt kam die Nachricht, daß es mindestens zwei Tage dauern würde, die Instrumente zu reparieren.

»Und nun benutzen wir unser Kommunikationssystem«, sagte Aprit besänftigt.

»Du sollst nichts kaputtmachen«, tadelte der Prediger. »So

etwas wird rasch zur Gewohnheit.« Entzückt vom Klang dieses Satzes, murmelte er ihn noch einmal vor sich hin.

Der Fremdrassen-Experte wurde um eine Nuance fahler. Er erkannte eine Machtdemonstration, wenn er eine sah. Außerdem verstand er die Gefangenen immer noch, trotz der zerstörten Translatoren. Ein Untergebener huschte herbei und beriet sich einen Moment lang mit ihm. Dann sah der Fremdrassen-Experte auf und sagte: »Bei eurem Vernichtungsakt registrierten wir typische Gedankenschemen der Boux. Gebt ihr zu, daß ihr von ihnen abstammt?«

Kleines Licht deutete auf die Röntgenstrahlen und meinte: »Allmählich werde ich unruhig, Freunde. Dieses Ding hier ist tatsächlich so undurchlässig, wie er behauptet.«

»Auch ich halte eine Rückkehr zum Ausgangspunkt unserer Reise für angebracht«, erklärte der Prediger.

»Es scheint die einzige Möglichkeit zu sein«, stimmte Calurmo zu, wenn auch widerwillig. Ein Sprung in die Vergangenheit drehte ihm meist den Magen um.

Großadmiral Rhys-Barley schob sich gereizt in den Vordergrund. Er war mit dem Verlauf der Befragung unzufrieden. Außerdem machte er sich Sorgen. Es gab ein Standardverfahren für die Behandlung von Boux. Die Erzfeinde der Menschheit kamen von rasch rotierenden Planeten, auf denen unablässig gewaltige Stürme tobten; sie besaßen amorphe Form und konnten ohne weiteres Menschengestalt annehmen. Ein Boux-Mensch vermochte auf einer Welt wie Kyla-I ungeheuren Schaden anzurichten, bevor man seine Maske durchschaute. Wenn man auf dem Hauptstützpunkt den Eindruck gewann, daß sich an Bord der *Pointer* Boux befanden, würde er daher den Befehl erhalten, das Flaggschiff in die nächstbeste Sonne zu steuern. Rhys-Barley hatte andere Zukunftspläne.

Er blieb kampflustig vor Aprit stehen.

»Wie siehst du in Wirklichkeit aus?« fragte er.

»Du meinst — meine metaphysische Form?« entgegnete Aprit verwirrt.

»Nein, eben nicht. Ich meine, daß die Instrumente in der

Nähe der Boux-Gehirnströme ausschlagen. Und Boux können über eine begrenzte Zeitspanne hinweg jede beliebige Gestalt annehmen. Ich will wissen — wer oder was seid ihr?«

»Wir sind Brüder«, erklärte Aprit sanft. »So wie du unser Bruder bist. Nur erweist du dich als sehr zorniger Bruder.«

Der Schockstrahl drang aus dem immer noch rauchenden Deck in Aprits Zelle. Er kam völlig überraschend. Der Druck kletterte im Nu auf ein Maximum, das einen normalen Menschen zu einer dünnen rosaroten Paste zermalmt und gleichmäßig über die Zellenwände verteilt hätte. Ein echter Boux wäre gezwungen gewesen, sich in seiner wahren Gestalt zu offenbaren. Aprit verlor lediglich das Bewußtsein.

Kleines Licht deutete verärgert auf den Großadmiral. »Sobald Aprit wieder zu sich kommt, werden wir die Arktis aufsuchen. Das hast du nun davon!«

»Es war ein dummes, unnützes Tun«, bestätigte der Prediger.

Niemand hatte auf Deeping geachtet. Während der Kapitän und der Admiral den Teleporter benutzten, mußte er den langen Weg zur Verhörschleuse zu Fuß zurücklegen. Für einen Jungoffizier verschwendete man keine sechs Millionen Kilowatt.

Nun ging er direkt auf Calurmo zu. Er starrte ängstlich durch die wabernde Barriere, die sie trennte, und sagte: »Es tut mir leid, daß wir euch keinen freundlicheren Empfang bereitet haben, aber wir befinden uns im Kriegszustand.«

»Bitte, entschuldige dich nicht«, erwiderte Calurmo. »Es muß sehr schlimm sein, mit jemandem im Zwist zu leben. Wie lange geht das schon so?«

»Jahrtausende«, erklärte Deeping bitter.

»Bringt den Mann zu den Disintegratoren!« brüllte Rhys-Barley. Zwei Wachtposten näherten sich mit strammen Schritten.

»Mo-moment, Sir«, sagte der Fremdrassen-Experte, obwohl ihm die Knie zitterten. »Diese neue Methode scheint uns eine

Spur weiterzubringen — wenn Sie den Einwand gestatten, Sir.«

Er seufzte erleichtert, als der Großadmiral die Posten zurückwinkte. Sein eigener Mut hatte ihn erschreckt.

». . . ein Krieg, der nie zu Ende gehen wird, solange wir den Feind nicht völlig ausrotten«, sagte Deeping gerade. Er war immer noch blaß, aber er stand aufrecht und entschlossen da, fast, als gebe ihm der Anblick der Fremden Kraft.

»Oh, das ist ein Irrtum«, widersprach Calurmo. »Ihr habt lediglich den falschen Weg gewählt.«

»Unsinn!« warf Rhys-Barley ein. »Ihr kennt das Problem nicht — außer ihr gehört einer Boux-Art an, der wir bisher noch nicht begegnet sind.«

»Meine Freunde informieren sich gerade«, murmelte Calurmo und warf einen Blick auf Kleines Licht und Woebee, die ungewöhnlich still waren. Aber der Großadmiral fuhr heftig fort:

»Die Boux besitzen uns gegenüber unschätzbare Vorteile. Wir können sie nur dadurch von unseren Systemen fernhalten, daß wir unser Militärpotential bis zum Äußersten einsetzen, daß wir immer in Alarmbereitschaft leben, daß wir einen Finger ständig am Drücker haben . . .«

»Das entspricht der Wahrheit«, sagte Deeping ernst. »Wenn ihr irgendeine Superwaffe besitzt, verratet sie uns! Wir werden euch ewig dankbar sein.«

»Bitte, behandle mich nicht wie einen Schwachsinnigen«, entgegnete Calurmo. Er wandte sich an Kleines Licht und Woebee, die lächelnd nickten. Zugleich öffnete Aprit die Augen und erhob sich.

»Ich hatte einen merkwürdigen Traum«, meinte er. »Kehren wir jetzt zurück in die Arktis?«

»Wir wollen zuerst diese Leute auf den rechten Weg bringen«, sagte der Prediger. Die fünf berieten eine Weile, während Rhys-Barley mit raschen Schritten hin und her ging. Deeping nieste kräftig. Er konnte Röntgenstrahlen nicht vertragen.

Schließlich winkte Woebee Deeping zu sich und sagte: »Verzeih, wenn ich bemerke, daß dein Volk voller Widersprüche steckt, aber es ist in der Tat so. Eine Sache ganz besonders gab uns anfangs Rätsel auf. Ihr haltet uns hier mit Hilfe eines undurchdringlichen Strahlenfeldes fest und umgebt uns obendrein mit einem Käfig aus Duralstäben. Die Stäbe sind völlig unnütz — außer sie stellen nicht das dar, was sie scheinen. Und wirklich erkannten wir, daß es sich um eine dieser technischen Spielereien handelte, auf die ihr so stolz seid — eine Art Gitter, das Aufnahmen und Messungen von uns anfertigte und unsere psychologischen und physiologischen Daten an die Computer eines nahe gelegenen Planeten weitergab. Ich spreche euch meine Hochachtung vor diesem Gerät aus. Es ist in der Tat so gut, daß Kleines Licht und ich mit seiner Hilfe den Hauptstützpunkt erforschen konnten. Wir erteilten der restlichen Flotte den Befehl zum Rückzug. Der Vize-Kapitän dieses Schiffes hat ebenfalls seine Order erhalten. Im Moment ist die Verhörschleuse eine Einheit für sich.«

Er hatte den Satz noch nicht zu Ende gesprochen, als Rhys-Barley sich hinter einen Energieschutz warf und den Vernichtungsbefehl durchgab. Nichts geschah. Schalter, Tasten, Skalen blieben tot.

»Du verschwendest deine Zeit«, sagte Kleines Licht. Er deutete auf den Großadmiral und trat durch die zusammenbrechende Strahlenbarriere. »Die Energiezufuhr ist abgeschnitten. Habe ich das nicht klar genug zu verstehen gegeben?«

»Wohin bringt ihr uns?« wisperte Deeping.

»Ihr *uns* — nicht wir euch«, verbesserte Woebee.

»Doch nicht . . . auf die Erde?«

Woebee lächelte. »Ich spüre, das Wort ›Erde‹ weckt Emotionen in dir.«

»Herrgott, ja — natürlich! Begreift ihr nicht? Es ist die einzige Welt, die wir je an die Boux verloren haben, gleich zu Beginn des Krieges. Die Erde ist der Ursprungsplanet der Menschheit, und als er fiel, bedeutete das den Untergang des Ersten Imperiums. Seit jener Zeit sind wir stärker geworden —

aber wir haben jene Randregion des Raums nie wieder betreten.«

Woebee nickte gleichmütig. »Das erfuhren wir, als wir die Speicher eures Computers auf dem Hauptstützpunkt durchforschten. Übrigens haben die Boux dieses Gebiet längst verlassen.«

»Wie entsetzlich! All die Zeit der Stagnation!« rief Deeping.

»Wirklich, du bist nicht klüger als die anderen«, meinte der Prediger vorwurfsvoll. »Die Stagnation herrscht *hier*. Sieh doch, ihr habt es nach all den Jahren immer noch nicht gelernt, auf technische Hilfsmittel zu verzichten.«

Er führte seine vier Freunde zurück zur *Regalia*. »Wir werden den Rest der Reise allein zurücklegen«, erklärte er ihnen. »Die Soldaten hier wollen sicher wieder ihre Alltagspflichten erfüllen. Hindern wir sie nicht daran!«

Am Eingang zur *Regalia* blieben sie stehen. Das Personal, das in der Verhörschleuse eingeschlossen war, wirkte ratlos und verwirrt. Rhys-Barley kauerte auf einer Stufe und starrte die Wand an. Der Kapitän kaute geistesabwesend an seinen Fingernägeln.

Der Fremdrassen-Experte trat auf sie zu. »Ihr verfügt über soviel Wissen . . .«, begann er.

»Aber es ist nicht viel dabei, das euch nützen würde«, entgegnete Aprit leichthin. »Außer der einen Erkenntnis vielleicht: Als die Menschheit Hals über Kopf die Erde verließ, weil ein paar Boux gelandet waren, blieben einige Männer und Frauen zurück. Sie besaßen keinerlei Verteidigungsmöglichkeiten gegen die Boux, also hatten es die Boux auch nicht nötig, sie anzugreifen. Mit anderen Worten — es kam zur Kontaktaufnahme, zur Verschmelzung der beiden Rassen.«

»Zur Verschmelzung . . .«, wiederholte der Fremdrassen-Experte fassungslos.

»Ja«, sagte der Prediger feierlich. »Weder ihr noch eure Maschinen habt bemerkt, daß wir von Menschen *und* Boux abstammen.«

»Das ist eine ungeheuer wertvolle Erkenntnis«, meinte Deeping nachdenklich.

Calurmo lächelte zum Abschied allen zu, selbst dem verstörten Großadmiral.

»Das freut mich außerordentlich«, sagte er. »Nehmt sie als Dank für das Geschenk, das die Menschheit unseren fernen Vorfahren, den Boux, machte — das Geschenk der festen Körperform. Das amorphe Dasein hat sich als Fluch für die Boux erwiesen. Die Vereinigung der beiden Rassen bringt Vorteile für jede Seite. Darf ich vorschlagen, daß ihr ein — Liebestreffen vereinbart?«

Diesmal dachten sie daran, ihr Schiff zu versiegeln. Die *Regalia* glitt in die Hauptschleuse der *Pointer* und dann in den Raum hinaus. Während die Freunde Kurs auf die Erde nahmen, brüllte der Kapitän des Flagschiffes seine diensttuenden Offiziere an, und Großadmiral Rhys-Barley beantwortete stammelnd die peinlichen Fragen der Militärs vom Hauptstützpunkt.

Deeping starrte etwas an, das er plötzlich in seiner Hand bemerkte — Sauerklee, *Oxalis acetosella*, eine schlichte kleine Blume von der Erde.

Mmmm. Ich.

Erste Feststellung: Ich bin ich. Ich bin alles. Alles, überall. Jedes, jedes, jedes Mmmm.

Das Universum besteht aus mir, ich bin das ganze Universum. Wirklich? Was bedeutet dieses gleichmäßige Pochen, das nicht von mir ist? Das muß auch ich sein; nach einiger Zeit werde ich es verstehen. Jetzt ist noch alles verschwommen. Ein verschwommenes Mmmm.

Selbst ich bin verschwommen. In all dem merkwürdigen, riesigen Dunkel, das ich bin, in diesem großen Universum, das ich bin, stelle ich nur einen Schatten dar. Eine Erinnerung an mich. Könnte ich eine Erinnerung des ... Nicht-Ich sein? Paradox: Wenn ich alles bin, könnte es ein Nicht-Ich, ein Anders-Sein, geben?

Warum habe ich Gedanken? Warum bin ich nicht, wie zuvor, einfach ein Mmmm?

Wach auf! Wach auf! Es ist dringend!

Nein! Hör nicht darauf! Ich bin das Universum. Wenn du mit mir sprechen kannst, mußt du ich sein, also befehle ich dir zu schweigen. Es darf nur das einlullende, saugende Mmmm geben.

... du bist nicht das Universum! Hör mir zu!

Lauter?

Mein Gott, hörst du mich endlich?

Nicht-verstehen. Ich muß alles sein. Kann es einen Teil von mir geben, wie dieses Pochen, der ... losgelöst ist?

Erreichen dich meine Gedanken? Antworte!

Wer ... wer bist du?

Gott sei Dank, endlich reagierst du! Hab keine Angst!

Bist du ein anderes Universum?

Ich bin kein Universum, ebensowenig wie du. Du schwebst in Gefahr, und ich muß dir helfen.

34

Ich schwebe in . . . Gefahr? Nein, zusammenrollen, saugen, Mmmm! Nur ich allein auf der ganzen Welt. Glaube an nichts außer mir.

. . . muß ganz behutsam zu Werke gehen. Herrgott, was für eine Aufgabe! He, bleib wach, du!

Mmmm. Muß Mmmm bleiben . . .

Wenn es nur irgendwo im Bereich der nächsten Lichtjahre einen Psychofötaliker gäbe! Nicht den Mut sinken lassen! He, bleib wach! Du mußt wach bleiben, wenn du durchkommen willst.

Wer bist du?

Dein Vater.

Nicht-Verstehen. Wo bist du? Hast du etwas mit dem Pochen zu tun, das sich nicht in mir befindet?

Nein, ich bin weit weg von dir. Lichtjahre — ach verdammt! Wo soll ich mit dem Erklären nur anfangen?

Hör auf, mir Botschaften zu senden. Das verursacht . . . ein Schmerzgefühl.

Klammere dich an den Gedanken des Schmerzes, Sohn! Weiche nicht davor zurück, sondern mach dich damit vertraut, daß du von sehr viel Schmerz umgeben bist. Ich leide ununterbrochen.

Ja?

Die erste Anteilnahme. Gut. Aber eines nach dem anderen. Du bist äußerst wichtig.

Ich weiß. All dies spielt sich gar nicht wirklich ab. Irgendwie fange ich diese Echos auf, diese Träume. Ich *erschaffe* sie; in Wirklichkeit gibt es nur mich — mich ganz allein.

Versuch dich zu konzentrieren! Du bist nur eines von Millionen gleichartiger Geschöpfe. Du und ich gehören einer Rasse an: wir sind Menschen. Ich bin geboren, du bist ungeboren.

Ohne Sinn.

Paß auf! Dein »Universum« befindet sich noch im Innern eines anderen Menschen. Bald wirst du ins wirkliche Universum gelangen.

Immer noch ohne Sinn. Neugier.

Paß genau auf! Ich sende dir Bilder, damit du leichter be-
greifst . . .

Hm . . .? Entfernung? Sicht? Farbe? Form? Gefällt mir nicht,
ganz entschieden nicht. Angst. Angst, in die Tiefe zu stürzen,
Unsicherheit . . . Muß mich sofort in das schützende Mmmm
zurückziehen. Mmmm.

Armer kleiner Kerl! Am besten lasse ich ihn ein wenig in
Ruhe. Hoffentlich hält er das alles aus, ohne Schaden zu neh-
men. Ein Fötus von sechs Monaten Alter! Selbst die Akade-
mie zur Vorgeburtserziehung beginnt später, bei siebenein-
halb Monaten etwa. Und die Leute sind Experten. Wenn ich
nur die leiseste Ahnung hätte — he, mein Bein, du blauer
Dreckskerl!

Dieses Bild . . .

Oh, du hörst noch mit? Brav so! Es tut mir wirklich leid,
daß ich dich so früh aus deiner Ruhe reißen muß, aber dein
Leben hängt davon ab.

Lob für mich, warme Gefühle. Gut. Angenehm. Besser, als
allein im Universum zu sein.

Das ist ein großer Schritt vorwärts, Sohn. Beinahe kann ich
mir vorstellen, was sich unser Schöpfer gedacht hat, wenn ich
dich so reden höre.

Nicht-Verstehen.

Tut mir leid, mein Fehler; dieses Bild ist mir so herausge-
rutscht. Muß besser aufpassen. Du wolltest vorhin etwas fra-
gen. Soll ich dir noch mehr Eindrücke übermitteln?

Langsam, nicht zu viel auf einmal. Neugier. Große Neugier.
Form, Farbe, Schönheit. Sieht so das wahre Universum aus?

Ich habe dir bisher nur die Erde gezeigt. Ich bin dort gebo-
ren und hoffe, daß auch du dort geboren wirst.

Nicht-Verstehen. Das Ganze noch einmal . . . Formen, Klän-
ge, Gerüche . . . Ah, schon vertrauter. Aber ein wenig verändert.

Ja, ein neues Bild. Viele Bilder von der Erde. Sieh nur!

Ah . . . besser als mein Dunkel . . . Ich kenne nur mein

Dunkel, warm und angenehm, dennoch erinnere ich mich irgendwie an diese — Bäume.

Rassengedächtnis, mein Sohn. Wir kommen gut voran. Allmählich setzt du deine Fähigkeiten voll ein.

Noch mehr schöne Bilder. Bitte.

Wir können nicht zu viel Zeit damit verschwenden. Ich habe dir eine Menge zu sagen, bevor du dich aus meiner Reichweite entfernst. Und — hallo, weshalb halten wir jetzt an? Diese blauen Teufel . . .

Warum sendest du plötzlich nicht mehr? Hallo? . . . Nichts. Vater? . . . Nichts. War da überhaupt etwas, oder habe ich mich getäuscht? Bin ich doch allein?

Nichts im ganzen Universum außer diesem Pochen. Ein Pochen ganz in meiner Nähe. Ist da jemand? Hallo? Nein, keine Antwort. Ich muß die Stimme fragen, falls sie wiederkehrt. Nun werde ich Mmmm. Macht mich nicht mehr zufrieden. Fremdartige Gefühle . . . ich möchte mehr Bilder sehen; ich . . . möchte . . . leben. Nein, muß Mmmm.

Mmmm.

Träume, daß ich ein Fisch mit Flossen bin und durch tiefes, stilles Wasser gleite. Alles ist grün und warm, ohne jede Gefahr, und ich gleite eine Ewigkeit dahin, unbeschwert . . . Aber dann teilt sich das Wasser, peitscht mich vorwärts, stürzt, stürzt, stürzt eine sonnenhelle Klippe hinunter. Ich kämpfe dagegen an, werde mitgerissen, möchte zurück in das tiefe, sichere Dunkel —

— wenn du dich retten willst! Wach auf, wenn du dich retten willst! Ich halte nicht mehr lange durch. Noch ein paar Tage über diese verdammten Berge . . .

Geh weg! Laß mich in Ruhe! Ich will nichts mit dir zu tun haben.

Mein Kleiner! Du mußt versuchen, alles zu verstehen. Ich weiß, daß es eine Qual für dich bedeutet, aber nimm dich zusammen und merke dir meine Worte ganz genau. Es ist ungeheuer wichtig.

Nichts ist hier wichtig. Aber er hat »Rassengedächtnis« gesagt. Und allmählich ordnen sich meine Gedanken. Ja! Ich existiere durch den Verstand im Dunkel meines Kopfes. Früher war da nichts. Ja, es gibt wichtige Dinge, das kann ich erkennen. Vater?

Was willst du wissen?

Verwirrt. Ich begreife besser, versuche es mit ganzer Kraft, aber ich bin so verwirrt. Und dieses ständige Pochen neben mir . . .

Mach dir deshalb keine Sorgen! Das ist deine Zwillingsschwester. In der Klinik auf Pollux-II hat man Zwillinge diagnostiziert, einen Jungen und ein Mädchen.

Immer neue Begriffe, die ich nicht verstehe. Ich sollte längst aufgeben, aber die Neugier läßt es nicht zu. Erkläre mir »Junge« und »Mädchen« und »Zwillingsschwester«!

Ausgerechnet jetzt! Nun, wir Menschen sind in zwei Geschlechter unterteilt, um den Fortbestand der Rasse zu sichern. Diese beiden Geschlechter nennt man »Jungen« und »Mädchen«; es hat sich als praktisch erwiesen, die kleinen Nachkommen — wie dich — im Leib der Mädchen heranwachsen zu lassen, bis sie so kräftig sind, daß sie allein existieren können. Einzelgeschöpfe oder Pärchen stellen die Regel dar; es gibt jedoch auch drei oder noch mehr auf einmal . . .

Und ich gehöre zu einem Pärchen?

Ganz recht. Dicht neben dir liegt ein kleines Mädchen; du kannst seinen Herzschlag hören. Deine Mutter . . .

Halt, halt! Zuviel auf einmal. Ich muß in Ruhe über diese Dinge nachdenken. Dann melde ich mich wieder.

Gut, aber beeile dich! Jede Minute trägt dich weiter fort von mir . . .

Muß mich erst wieder fangen. Mir schwirrt der Kopf. Alles so fremdartig. Und mein Universum zu einem Schoß zusammengeschrumpft. Erstarrt, bin wie erstarrt. Kann nichts mehr aufnehmen. Erstarrt. Mmmm.

Zurück in das tiefe Dunkel, sanft und einschläfernd. Jetzt bin ich ein Fisch, schieße glitzernd durch das unbewegte Wasser. Alles still hier, aber weiter vorn — der Abgrund! Ich mache kehrt, schnell — zu spät, zu spät.

He, keine Angst! Ich bin es doch nur.

Gefahr. Du hast von Gefahr gesprochen.

Immer sachte! Bleib ganz ruhig! Du mußt etwas für mich tun — für uns alle. Wenn du das schaffst, ist die Gefahr abgewendet.

Dann erkläre mir rasch, worum es geht.

Im Moment ist das noch zu schwierig. Vielleicht in ein paar Tagen — wenn ich so lange durchhalte.

Weshalb ist es schwierig?

Weil du noch so klein bist.

Wo befindest du dich?

Auf einer Welt, die Ähnlichkeit mit der Erde hat und neunzig Lichtjahre von ihr entfernt ist. Der Abstand zwischen uns beiden wächst ständig.

Weshalb? Wie? Begreife ich nicht. So vieles geht über mein Wissen hinaus; bevor du kamst, war meine Umgebung friedlich und einfach.

Nicht aufgeben, mein Sohn! Du schaffst es; du erkennst schnell, worauf es ankommt. Ich bin sicher, daß du die Erde erreichst. Du befindest dich auf dem Weg zur Erde, in einem Raumschiff, das vor sechzehn Tagen Mirone verließ — den Planeten, auf dem ich zurückblieb.

Übermittle noch einmal das Bild von dem Raumschiff!

Sofort...

Es ist eine Art Metalleib für uns alle. Das verstehe ich mehr oder weniger, aber die Sache mit dem Abstand hast du noch nicht erklärt.

Es gibt riesige Entfernungen, die wir in Lichtjahre messen. Ich kann sie dir nicht darstellen, denn der menschliche Verstand hat keinen rechten Begriff von ihnen.

Dann existieren sie nicht.

Leider doch. Aber sie sind nur als mathematische Formeln zu begreifen. AUUU! Mein Bein...

Warum schweigst du? Du hast schon einmal ganz unvermittelt geschwiegen. Du schickst einen unheimlich starken Schmerzimpuls aus, und dann bist du fort. Antworte!

Warte einen Moment!

Ich kann dich kaum hören. Jetzt, da es spannend wird, brichst du den Kontakt ab. Bist du noch da?

... geht einfach über meine Kräfte. Wir sind alle verloren. Judy, Liebes, wenn ich nur dich erreichen könnte ...

Mit wem sprichst du? So antworte doch! Du verwirrst mich. Ich verstehe dich nur noch ganz schwach. Deine Botschaft klingt verwischt.

Rufe dich, sobald ich kann ...

Furcht und Schmerz. Nur Symbole, die sein Gehirn an mich weitergibt, aber sie wecken Unbehagen. Ich erfasse sie nicht ganz. Vielleicht wieder das Rassengedächtnis.

Mein eigenes Gedächtnis ist nicht gut. Zu wenig eingesetzt. Ich muß es üben. Etwas, das er sagte, ist mir entfallen. Will versuchen, mich wieder daran zu erinnern. Aber wozu eigentlich die Mühe? Diese Dinge gehen mich im Grunde nichts an. Ich bin hier sicher in meinem Dunkel, vollkommen sicher.

Das war es! Es befindet sich noch jemand bei mir. Meine Schwester. Warum schickt er die Bilder nicht an sie? Vielleicht könnte ich das tun; sie ist mir näher als er.

Schwester! Schwester! Hörst du mich? Das Pochen kommt von ihr, aber sie antwortet nicht.

Das Ganze ist Einbildung. Ich spreche mit mir selbst. Halt! Da spüre ich seine Ausstrahlungen wieder, von weit her. Achte nicht auf das unverständliche Zeug!

Neugierig.

... Wundbrand vermutlich. Werde sterben, bevor mich diese blauen Teufel in ihr Kaff geschleppt haben. Dabei hatten Judy und ich so große Pläne ...

Hörst du zu, Sohn?

Nein, nein.

Paß genau auf, dann gebe ich dir ein paar Anweisungen!

Ich muß dich etwas fragen.

Bitte, warte damit! Der Kontakt zwischen uns wird schwächer; bald reißt er ganz ab.

Gleichgültig.

Mein liebes Kind, natürlich müssen dir diese Dinge gleichgültig sein. Es tut mir aufrichtig leid, daß ich deinen Embryoschlaf so früh gestört habe.

Ein unbeschreibliches Gefühl, irgendwie angenehm: Dankbarkeit? Liebe? Dem Rassengedächtnis entnommen?

Schon möglich. Versuch mich in Erinnerung zu behalten — später. Aber nun zum Thema. Deine Mutter und ich waren auf dem Rückflug zur Erde, als wir Mirone ansteuerten, die Welt, auf der ich mich jetzt befinde. Es war ein unnötiger Luxus, die Reise zu unterbrechen, und ich bereue meinen Entschluß bitter.

Warum hast du es denn getan?

Nun, hauptsächlich, um Judy, deiner Mutter, einen Gefallen zu erweisen. Mirone ist eine schöne Welt, zumindest hier in der Gegend des Nordpols. Wir hatten uns ein Stück vom Schiff entfernt, als eine Horde von Eingeborenen auf uns eindrang.

Eingeborene?

Geschöpfe, die hier leben. Sie sind subhumanoid, blauhäutig und völlig kahl — kein besonders schöner Anblick.

Ein Bild!

Lieber nicht. Judy und ich rannten wie die Irren zum Schiff zurück. Wir hatten es fast erreicht, als mich ein Stein am Knie traf — sie bewarfen uns mit Felsbrocken — und ich zu Boden stürzte. Judy bemerkte erst, als sie in der Luftschleuse stand, was vorgefallen war — und da hatten mich die Wilden bereits eingeholt. Mein Bein war verletzt; ich konnte mich nicht freikämpfen.

Bitte, nichts mehr davon! Es macht mich elend. Ich möchte Mmmm.

Bleib, Sohn, das Schlimmste ist schon vorbei. Ich rief Judy zu, sie solle allein starten, um sich und euch nicht zu gefährden. Die Wilden bringen mich über die Berge in ihr Dorf. Ich glaube nicht, daß sie bösartig sind; sie sehen in mir einfach eine ... Kuriosität.

Bitte, laß mich Mmmm.

Du kannst dich in deine Komatose zurückziehen, sobald ich dir erklärt habe, wie dieses kleine Raumschiff funktioniert. Als Geohistoriker verstehe ich nichts von Astrogation; es ist eine komplizierte Wissenschaft, von einem Planeten zu einem anderen zu gelangen. All das besorgt ein Autopilot. Man gibt ihm Einzelheiten wie Last, Schwerkraft und Bestimmungsort ein, er vergleicht sie mit den Daten, die sich in seinen Gedächtnisspeichern befinden, arbeitet den Kurs aus und bringt das Schiff sicher ans Ziel. Begreifst du bis hierher?

Das klingt, als wäre es ein sehr schwieriger Vorgang.

Nun redest du wie deine Mutter, Junge. Sie hat sich nie um die Technik gekümmert. In Wirklichkeit ist alles ganz harmlos. Die komplizierten Dinge spielen sich hinter Stahlverkleidungen ab und gehen dich gar nichts an. Wichtig ist nur folgendes: Der Kurs wird automatisch berechnet, sobald man ein paar Koordinaten eingegeben hat.

Ich bin todmüde.

Ich auch. Zum Glück hatte ich die Daten für die Erde bereits eingespeist, als wir auf Mirone das Schiff verließen.

Andernfalls wäre es wohl unmöglich gewesen, die Erde zu erreichen?

Ganz genau. Du besitzt den Verstand deines Vaters, Junge. Mach so weiter! Das Schiff hob also sicher von Mirone ab und fliegt jetzt in Richtung Erde — aber ihr werdet es nie schaffen. Als ich den Autopiloten programmierte, stimmten die Daten noch; die Tatsache, daß ich mich nicht mehr an Bord befinde, verändert jedoch alles. Der Schub ist für dreiundsiebzig Kilogramm zusätzliche Last berechnet — mein Körpergewicht, das die Wilden im Moment quer durch die Berge schleppen.

Ist das schlimm? Außer für dich, meine ich. Heißt es, daß wir mit einer zu hohen Geschwindigkeit ankommen werden?

Nein, Sohn. Es heißt, daß ihr die Erde nie erreichen werdet. Das Schiff beschreibt eine Hyperbel, und obwohl mein Ge-

wicht nur etwa ein Achttausendstel der Gesamtmasse beträgt, wird dieser winzige Fehler in der Nähe des Sol-Systems zu einer Kursabweichung von mehreren Lichtjahren führen.

Ich gebe mir alle Mühe, aber diese Sache mit den Entfernungen begreife ich nicht. Du mußt sie mir noch einmal erklären.

Du kennst weder Licht noch Raum; wie kann ich dir den Eindruck von einem Lichtjahr vermitteln? Nein, du mußt mir einfach glauben, daß ihr weit an der Erde vorbeifliegen werdet.

Und wenn wir weiterfliegen, bis wir auf einen anderen Planeten stoßen?

Das werdet ihr, falls du nichts unternimmst — in ein paar tausend Jahren ...

Deine Bilder werden schwächer. Zu große Anstrengung. Muß Mmmm ...

Wieder der Fisch, in der Tiefe des Wassers. Keine Geborgenheit mehr. Nasses Wasser, hasse nasses Wasser ... Die Strömung wirbelt mich auf den Abgrund zu.

Ich bin der Fisch-Embryo. Habe ich geträumt.? Oder gibt es die Stimme, mit der ich mich unterhielt? Erscheint mir zweifelhaft. Und wenn es sie gibt, hat sie die Wahrheit gesagt? Ich wollte sie etwas fragen, etwas ungeheuer Wichtiges, das alles als Unsinn entlarvte — ach, ich kann mich nicht erinnern. Alles ließe sich damit widerlegen ...

Vielleicht gibt es die Stimme nicht. Vielleicht ist meine Entwicklung hier im Dunkel irgendwie fehlgelaufen — nur ein Schritt zwischen Vernunft und Wahnsinn. Dann hatte ich vielleicht anfangs recht. Ich bin alles, und ich bin wahnsinnig!

Hilfe! So sag doch etwas — Hilfe!

Keine Antwort. Lediglich das Pochen. *Das* war meine Frage ...

... *heißes Quellwasser — dem Himmel sei gedankt ...* Hallo! Vater?

Wie lange sie mich hier ausruhen lassen? Sie müssen doch sehen, daß ich am Ende bin.

Ich bin wach und höre dich!

Geht doch einfach ohne mich weiter! Sohn, es ist das erste und letzte Vergnügen des Menschen, im warmen Wasser zu liegen und gar nichts zu tun. Schade, daß ich dich nicht mehr kennenlerne! Aber machen wir weiter! Ich erkläre dir jetzt, was du tun mußt, um dich und deiner Mutter aus der Klemme zu helfen.

Ich bin hier machtlos — kann überhaupt nichts tun.

Nun gerate nicht gleich in Panik! Deine Telebotschaften kommen ganz klar an. Das ist immerhin etwas.

Nicht-Verstehen.

Wir überbrücken die wachsende Entfernung durch Telepathie, ein Phänomen, das teils Anlage, teils Übung voraussetzt. Die Telepathie stellt den einzigen Kontakt zwischen weit auseinanderliegenden Welten dar — von Raumschiffen abgesehen; aber während ein Raumschiff ziemlich lange braucht, um von einem Punkt zum anderen zu gelangen, erfolgt die Gedankenübertragung ohne jeden Zeitverlust.

Begriffen.

Gut. Im Gegensatz zu Raumschiffen ist jedoch die Reichweite von Gedanken begrenzt. Sobald du dich etwa fünfzig Lichtjahre von Mirone entfernt haben wirst, wird der Kontakt zwischen uns abreißen.

Weshalb?

Keine Ahnung. Ich weiß nicht einmal, auf welche Weise er zustande kommt.

Die nächste logische Frage: Wie weit sind wir im Moment voneinander entfernt?

Im günstigsten Fall bleiben uns noch achtundvierzig Stunden.

Verlaß mich nicht! Ich werde mich einsam fühlen.

Ich auch — aber nicht mehr lange. Du, mein Junge, hast bereits die Hälfte des Wegs hinter dir, soweit ich das abschätzen kann. Wenn der Kontakt zwischen uns abreißt, wendest du dich an die TTZ.

Was ist das?

Die Terranische Telepathen-Zentrale. Sie ist ständig in Betrieb — für Notfälle aller Art. Du kannst sie erreichen, ich nicht.

Die Leute kennen mich nicht.

Ich gebe dir meinen Code. Sobald jemand Verbindung mit dir aufnimmt, erklärst du, was sich zugetragen hat.

Zweifel.

Du kannst es doch erklären, nicht wahr? — Daß ihr im Begriff seid, die Erde zu verfehlen?

Werden sie mir glauben?

Natürlich.

Sind sie real?

Aber ja.

Ich kann mir nur schwer vorstellen, daß es Menschen außer dir und mir gibt. Da war noch eine Frage ...

Eine Sekunde. Schildere der TTZ eure Schwierigkeiten! Man wird ein schnelles Schiff ausschicken, das euch abfängt, bevor ihr außer Reichweite seid.

Ja, ich weiß nun Bescheid. Meine Frage ...

Warte noch, mein Junge ... du verlierst wieder das Bewußtsein — oder bin ich das? ... Kannst du den Wundbrand über die Lichtjahre hinweg riechen? ... Diese blauen Ungeheuer heben mich aus der Quelle — ich werde ohnmächtig. Nicht mehr viel Zeit ...

Vater, was ist diese »Zeit«, die dir soviel zu bedeuten scheint?

... Zeit, ein ewiger Strom, auf dem wir dahintreiben ... Aaah ... Zeit, mein Sohn, nie genug Zeit ...

Schmerz. Schmerz und Schweigen. Ekel steigt in mir auf. Kann das Universum so wirr und häßlich sein, wie er vorgibt? Alles ein böser Traum ...

Mmmm. Dunkel und langes Schweigen. Keine Stimme mehr. Horche angespannt. Nichts.

. . . Entfernung . . .

Stimme! Vater! Lauter!

. . . zu schwach . . . getan, was ich konnte . . .

Nur eines noch, Vater!

Rasch!

War es anfangs schwer, mich aufzurütteln?

Ja. In den Ausbildungszentren für Ungeborene werden die Embryos erst ab siebeneinhalb Monaten geschult. Aber ich hatte keine andere Wahl . . . zu müde . . .

Weshalb hast du dann mit mir und nicht mit meiner Mutter Kontakt aufgenommen?

Das Dorf! Nur noch ins Tal hinunter, und die Reise ist zu Ende . . . Menschheit steht erst am Beginn der Telepathie . . . Vorsicht, hört ihr, Vorsicht!

Ich will eine Antwort!

Du hast sie bereits. Langsam den Hang hinunter, ihr Burschen! Oder wollt ihr mir das Bein noch brechen? Äh . . . ich besaß die Gabe, aber Judy fing fremde Gedanken nicht einmal aus nächster Nähe auf. Du hast mein Talent geerbt. Vorsicht, mein Gott! Ich kann im Moment nur an mein Bein denken.

Aber weshalb — deine Bilder verwirren mich — weshalb . . .?

Gutes altes Mendelsches Gesetz . . . zwei Kinder, eines telepathisch begabt, das andere nicht. Die beiden Augen des Riesen, von denen nur eines sieht . . . der Weg ist doch viel zu steil, um — auu . . . Zyklopen — sachte, Junge, sonst wird das andere Auge auch noch blind . . .

Das verstehe ich nicht.

Verstehen? Mein Bein brennt wie Feuer — würde jeden blind machen. Gebt doch acht! Langsam, den steilen blauen Hang hinunter!

Vater!

Was gibt es?

Ich verstehe dich nicht. Sprichst du von realen Dingen?

Entschuldige, Sohn. Sachte jetzt. Ein Anfall von Delirium; das machen die Schmerzen. Dir geschieht nichts, wenn du dich mit der TTZ in Verbindung setzt . . . du erinnerst dich?

Ja. Wenn ich nur ... ich weiß nicht. Mutter ist also *real*?

Gewiß. Du mußt dich um sie kümmern.

Und der Riese?

Der Riese? Welcher Riese? Du meinst den Riesenberg? Die Wilden erklimmen den Riesenberg. Über mein Riesenbein. Lebe wohl, mein Sohn! Ich muß einen blauen Arzt aufsuchen ... das Bein ... ein Bein ...

Vater!

... blaues Hammelbein ...

Vater, wohin willst du? Moment, so warte doch, ich kann mich ein wenig rühren — da! Ich habe soeben entdeckt, daß ich mich *umdrehen* kann. Vater!

Keine Antwort mehr. Schweigen, das wie ein dünnes Rinnsal dahinsickert. Und das Pochen. Das Pochen. Meine schweigsame Schwester. Sie kann nicht wie ich Gedanken aussenden. Ich muß mit der TTZ Kontakt aufnehmen.

Noch eine Menge Zeit. Wenn ich mich erst *umdrehe* ... Vorsicht! Ich bin erst sechs Monate alt, hat er gesagt. Vielleicht läßt sich der Kontakt leichter herstellen, wenn ich draußen bin, im echten Universum. Ich drehe mich noch einmal um.

Ah, vorsichtig jetzt. Der nächste Stoß. Gut so. Möchte wissen, ob meine Beine blau sind.

Stoß.

Gut. Etwas gibt nach.

Stoß ...

DAS URTEIL

Sie warteten schweigend, abgesondert von der Masse — Mordregon, Sohn des Großen Mordregon; Arntibis Isis von Sirius III, der Gouverneur des Zehnten Sektors; Deln Phi J. Brunswacki, Gebieter der Randwelten; und Ped^2 vom Sack-Dominion. Dennoch verfolgen die vier Hohen Herrscher ebenso gespannt wie die übrigen Mitglieder des Galaktischen Rats den Auftritt des Terraners David Stevens.

Stevens zögerte an der Schwelle zum Sitzungssaal. Das Zögern war teils natürlich, teils gespielt. Die Rolle, die man ihm zugewiesen hatte, verlangte ein kurzes Stocken; aber er hatte nicht damit gerechnet, daß er echte Scheu empfinden würde. Er war gekommen, damit sich die anderen ein Urteil bilden konnten, über ihn und über die Erde; er war nicht ohne Vorbereitung gekommen — soweit man sich auf das Unvorhersehbare vorzubereiten vermochte. Als ihn der Roboter nun jedoch in den Saal geleitete, wußte Stevens mit einemmal, daß die Aufgabe schwerer sein würde als jede andere, die er bisher bewältigt hatte.

Die Creme der Galaxis registrierte sein Zögern.

Er warf einen Blick auf das Podium, wo Mordregon und seine drei Begleiter warteten. Der erste Schritt kostete ihn ungeheure Anstrengung. Auf seiner Stirn standen kleine Schweißperlen.

»Gott sei mir gnädig«, flüsterte er. Aber das hier waren die Götter der Galaxis. Gab es über ihnen noch ein höchstes, allmächtiges Wesen? Genug davon! Du mußt dich konzentrieren!

Stevens straffte die Schultern und ging an den dicht gedrängten Reihen der Galaktischen Herrscher vorbei. Man hatte vor seiner Abreise von der Erde zwar ausdrücklich festgestellt, daß man keine Kräfte einsetzen würde, die er nicht selbst besaß — Telepathie etwa —, aber die geistige Überlegenheit der Versammlung war deutlich zu spüren, und sie lag wie ein schwerer Druck auf ihm. Fremdartige, oft nur entfernt humanoide Gesichter starrten ihn an; er streifte fremdartige Gewänder. Diese Vielfalt, dachte er, dieses wimmelnde, verwirrende Leben im Schoß des Universums!

Mit einemmal bäumte sich sein Stolz auf. Er erwiderte ruhig die Blicke der Menge. Sie sollten alle erfahren, aus welchem Holz die Menschheit geschnitzt war! Was immer sie mit ihm planten — er hatte auch ein paar Trümpfe im Ärmel.

Es erschien ihm völlig angemessen, daß ein Mensch diesen Saal betrat. Und warum sollte er, David Stevens, nicht der Auserwählte sein? Der Dünkel, der in allen jungen Rassen steckte, sagte ihm, daß er die Prüfung bestehen würde. Seine anfängliche Scheu? Und wenn schon! Natürlich war eine technisch orientierte Zivilisation, die sich einiges auf ihre Erkundungsflüge nach Merkur und Neptun einbildete, ein wenig befangen angesichts von Kulturen, die sich über Hunderttausende von Planeten erstreckten.

Zackig verbeugte er sich vor Mordregon und seinen Gefährten.

»Ich bringe Grüße von der Erde im System Sol«, sagte er mit lauter Stimme.

»Willkommen bei uns, David Stevens vom Planeten Erde«, entgegnete Mordregon jovial. Vor seinem Schnabel schwebte ein Gegenstand von der Größe eines Hühnereis. Alle Anwesenden, auch Stevens, waren mit diesem automatischen Übersetzungsgerät versehen.

Mordregons Äußeres erinnerte an einen umgekippten Konzertflügel. Kaskaden von klickenden, schwarzweißen Rechtecken hüllten seinen Rumpf ein. Stevens sah, daß sich jedes dieser Rechtecke um seine Längsachse drehte und dem Herrscher Kühlung zufächelte, als litte er an einem verzehrenden inneren Fieber (eine Schlußfolgerung, die ins Schwarze traf).

»Ich liebe den Frieden«, fuhr Stevens fort. »Aber ich möchte endlich wissen, weshalb man mich hierherbrachte. Die Reise war lang, und ich erhielt nur spärliche Auskünfte.«

Bei dem Wort »Frieden« verzog Mordregon das Schnabelgesicht zu einer Art Lächeln.

»Sie erfuhren, daß Sie im Namen der Erde vor Gericht stehen würden«, erwiderte Mordregon. »Das erscheint uns Information genug.«

Das Übersetzungsgerät verlieh der Stimme des Hohen Herrschers einen Hauch von Ironie. Stevens lief rot an. Er war wütend, und sie sollten merken, daß er wütend war.

»Dann habt ihr es versäumt, euch in meine Lage zu versetzen«, fauchte er. »Ich verwalte Port Ganymed. Mit Politik hatte ich nie im Leben etwas zu tun. Als euer Roboterschiff landete und mich willkürlich zum Vertreter der Menschheit bestimmte, überwachte ich gerade den Methankonverter. Ich erfuhr lediglich, daß man mich in drei Monaten zur Verhandlung abholen würde — wie einen Strafgefangenen ... wie ein Bündel schmutziger Wäsche.«

Er sah die vier Herrscher trotzig an und war gespannt auf ihre Reaktion. Vielleicht war er in seinem Zorn zu weit gegangen. Im Normalfall gehörte er nicht zu den Leuten, die sich von Emotionen leiten ließen.

Das Hühnerei vor seinem Mund schluckte jedes Geräusch und ließ eine trockene Stille zurück. Er konnte die Wiedergabe nicht hören. Einen Moment lang klammerte er sich an die schwache Hoffnung, daß es seinen Ausbruch in guter alter Dolmetscher-Tradition übergehen würde. Aber darin hatte er sich getäuscht.

»Zorn bedeutet Unausgeglichenheit«, sagte Deln Phi J. Brunswacki. Es war der einzige Satz, den er während der ganzen Befragung äußerte. Unter der transparenten Schädeldecke pulsierte ein mächtiges Gehirn und leitete die Gedanken weiter. Er trug einen blauen Nadelstreifenanzug, der auf den ersten Blick schäbig wirkte; aber die Streifen wurden von winzigen Symbiose-Organismen gebildet, die sich auf und ab bewegten und sämtliche Mikroben vernichteten, die Deln Phi J. Brunswackis Gesundheit hätten gefährden können.

Ein wenig angewidert wandte sich Stevens ab. Er sah erneut zu Mordregon hinüber.

»Ihr spielt mit mir«, sagte er ruhig. »Verstoße ich gegen die Regeln der Gastfreundschaft, wenn ich euch bitte, zur Sache zu kommen?«

Das klang schon besser. Aber was mochten sie denken? *Sein Charakter ist zu labil? Er scheint gar nicht zu erkennen, welche untergeordnete Rolle er spielt?* Das machte ihm am meisten zu schaffen: daß er erraten mußte, was *sie* dachten, und daß sie sich darüber vollkommen im klaren waren. Er hatte keine Ahnung, wie viele Intelligenzstufen sie über ihm standen.

Sein Magen verkrampfte sich, und seine Hand tastete nervös nach der Beule hinter dem rechten Ohr, bis ihm zu Bewußtsein kam, daß ihn diese Geste verraten könnte. Für diese Versammlung der Mächtigen mochte er eine untergeordnete Rolle spielen; aber die Erde setzte ihre ganze Hoffnung auf ihn. Ihre ganze Hoffnung! Unwillkürlich begann er zu zittern.

Mordregon hatte wieder zu sprechen begonnen. Was sagte er?

»... herkömmlich. Die Stadt Grapfth auf Xaquibadd im Randgebiet des Sack-Dominions empfängt in diesem Saale alle neuentdeckten Rassen.«

Mit deinen großen Worten kannst du mich nicht einschüchtern, dachte Stevens trotzig, aber er hätte sich am liebsten irgendwo verkrochen.

»Bildet die Stadt Grapfth den Mittelpunkt eures Imperiums?« erkundigte er sich.

»Nein. Wie ich bereits sagte, befindet sie sich an der Peripherie — aus Sicherheitsgründen, Sie verstehen.«

»Aus Sicherheitsgründen? Heißt das, daß ihr Angst vor mir habt?«

Mordregon wechselte einen Blick mit Ped^2 vom Sack-Dominion. Ped^2, in ein Tuch aus schillerndem, stereoskopischem Nylon gehüllt, hatte Ähnlichkeit mit einem Kaktus. Zahme Schmetterlinge schaukelten an Germaniumkettchen zwischen den Blüten seines Kopfes; sie schwirrten einen Moment lang hoch, als Ped² nickte und sich dem Terraner zuwandte. »Jede Rasse hat ihre besonderen Fähigkeiten und Talente«, erklärte er. »Und wenn wir Fremde hierher einladen, so geschieht das unter anderem, um diese Talente ausfindig zu machen. Leider entpuppte sich Ihr Vorgänger als Angehöriger einer Nuklear-Rasse, die nach irgendeinem Krieg übriggeblieben war. Er gab recht intelligente Antworten — bis das Schlüsselwort ›guter Wille‹ fiel. Daraufhin detonierte er und riß diesen Saal in Stücke.«

Ein Teil der Anwesenden schien sich an den Vorfall zu erinnern, denn in den Rängen klang amüsiertes Gelächter auf.

»Und ihr wollt mir weismachen, daß ihr die Detonation überlebt habt?« fuhr Stevens auf.

»Oh, wir befinden uns nicht persönlich hier«, erwiderte Ped² jovial. Er flocht spielerisch einen Dornenkranz über seinem Kopf. »Ich möchte Sie nicht kränken, aber Sie erwarten doch nicht, daß wir jedesmal die lange Reise nach Xaquibadd unternehmen, wenn wir irgendein kleines System entdeckt haben. Was Sie hier sehen, sind dreidimensionale Abbildungen von uns; selbst der Saal existiert nur in submolekularer Form.«

Als Ped² den entgeisterten Blick des Terraners bemerkte, konnte er nicht widerstehen, noch einen Treffer zu landen. Er gehörte einer kindischen Rasse an; erst vor knapp viertausend Jahren waren auf seinem Planeten die letzten Theologen ausgestorben.

»Genau genommen sprechen wir nicht einmal mit Ihnen, David Stevens von der Erde«, erklärte er. »Da wir im Moment noch kein Kommunikationsmittel besitzen, das ohne Zeitverzögerung über die Lichtjahre hinweg arbeitet, führt ein Robotergehirn die Unterredung auf Xaquibadd. Wir überprüfen das Gespräch später; im Falle eines Irrtums können wir immer noch Kontakt mit Ihnen aufnehmen.«

David Stevens spürte die leise Drohung, die in seinen Worten mitschwang, aber er registrierte zumindest eine der Aussagen mit Erleichterung. Die Herrscher der Galaxis hatten noch keine Möglichkeit der sofortigen Nachrichtenübertragung. Wieder tastete er nach der winzigen Beule hinter dem rechten Ohrläppchen. Dann jedoch nahm er sich zusammen und vergrub die Hand tief in der Hosentasche. Vielleicht war die Erde doch in der Lage, mit diesen Giganten gleichrangig zu verhandeln. Sein Selbstvertrauen wuchs.

Mordregon wandte sich tadelnd an Ped².

»Sie nehmen unseren geschätzten Gast nicht ernst!«

»Gast — pah!« hakte Stevens ein. »Mir erschien die Einladung eher wie ein Ultimatum. Euer Roboter erklärte kategorisch, daß er in drei Monaten wiederkäme, um mich vor Gericht zu holen.«

»Das war doch fair, oder?« entgegnete Mordregon. »Er hätte die Fragen auch sofort an Sie richten können.«

»Aber ich hatte keine Ahnung, worauf ich mich vorbereiten sollte«, sagte Stevens. Verbitterung stieg in ihm hoch, als er an das vergangene Vierteljahr dachte. Sie hatten ihn bis an den Rand des Wahnsinns getrieben. Die geistigen Größen des gesamten Sol-Systems hatten sich mit ihm befaßt. Logiker, Schauspieler, Philosophen, Generäle, Mathematiker ... und Chirurgen. Die Chirurgen, die mit ihren geschickten Händen die Erfindungen der Techniker in sein Ohr und seinen Kehlkopf implantierten!

Und die ganze Zeit über hatte ihn der eine Gedanke gequält: Weshalb wählten sie ausgerechnet *mich*?

»Angenommen, ihr hättet einen anderen gewählt?« fragte er Mordregon. »Angenommen, ihr wärt an einen Verrückten oder an einen unheilbar Kranken geraten?«

Stille breitete sich aus. Mordregon sah ihn durchdringend an und erwiderte dann langsam: »Wir finden, daß unser Stichprobensystem am meisten Gerechtigkeit gewährleistet. Jeder, der hierhergebracht wird, trägt die Mitverantwortung für seine Welt. Ihre Schwächen und Ihre Krankheiten sind die Schwächen und Krankheiten Ihres Heimatplaneten. Stünde ein Siecher an Ihrer Stelle oder ein Wahnsinniger, so müßten wir die Erde ausrotten. Welten, die zum Zeitpunkt ihrer interplanetarischen Expansion noch nicht frei von solchen Geißeln sind, besitzen kein Lebensrecht. Wir müssen an die Sicherheit der ganzen Galaxis denken.«

Alle Unbeschwertheit schien jetzt von den versammelten Herrschern abgefallen zu sein. Selbst Ped² vom Sack-Dominion saß kerzengerade da und sah den Terraner ernst an. Stevens bemerkte plötzlich, daß ihn fror.

Während der dreimonatigen Vorbereitung und der Reise hierher war er lediglich davon ausgegangen, daß man ihn als Stellvertreter der Menschheit einer Art Eignungstest unterziehen würde. Als er nun an die vielen Irrenanstalten und Krankenhäuser auf der Erde dachte, verließ ihn beinahe der Mut. Er ballte die Hände hinter dem Rücken und sagte mit mühsam beherrschter Stimme: »Dann werde ich hier tatsächlich abgeurteilt?«

»Nicht nur Sie, sondern die Erde und die Menschenrasse mit Ihnen«, erklärte eine Stimme, die weder zu Mordregon noch zu Ped² gehörte. »Und der Prozeß hat bereits begonnen.«

Arntibis Isis von Sirius III, der Gouverneur des Zehnten Sektors, hatte bisher noch keine Silbe geäußert. Er war gigantisch, eine vier Meter hohe, in Silberfolie gewickelte Säule. Ein Augenbüschel am oberen Ende des Kolosses musterte Stevens durchdringend. Arntibis Isis besaß etwas, das den anderen — selbst Mordregon — fehlte: Majestät.

Unauffällig faßte Stevens nach seiner Kehle. Sie hatten selbst gesagt, daß sie keine unmittelbare Nachrichtenübertragung besaßen. Vielleicht gelang ihm mit Hilfe des kleinen implantierten Geräts noch ein Sieg. Aber vor dem gestrengen Blick von Arntibis Isis zerrann seine Hoffnung.

»Ich bin nun einmal hier und muß mich euren Gepflogenheiten unterwerfen«, sagte Stevens. »Bei uns jedoch erfährt der Angeklagte im allgemeinen, was gegen ihn vorliegt, wie er sich verteidigen kann und welche Strafe ihm droht. Außerdem wird der Verhandlungsbeginn in aller Form verkündet. Man überfällt den Geladenen nicht einfach mit einem Verhör.«

Ein Murmeln ging durch die Reihen. Es verriet ihm, daß man sein Argument akzeptierte. Sein Verstand arbeitete fieberhaft. Wenn er das Problem richtig sah, dann warteten die Anwesenden darauf, daß er irgendeine Kardinaltugend präsentierte, welche der Menschheit Gleichberechtigung in dieser illustren Versammlung verschuf. Aber was galt hier als Tugend? Wer setzte die Maßstäbe fest? Stevens unterbrach seine Gedankengänge, als Arntibis Isis wieder zu sprechen begann.

»Eine lokale Eigenheit in einem verlorenen Winkel der Galaxis«, meinte der Hohe Herrscher herablassend. »Aber ich will darauf eingehen, um Ihrer Intelligenzstufe Rechnung zu tragen. David Stevens, Sie stehen vor dem Rat der Zweiten Galaxis, damit wir uns ein Bild von Ihnen und Ihrer Rasse machen können. Um Sie persönlich ist es uns nicht zu tun; wir betrachten Sie lediglich als Sprachrohr der Menschheit. Gelingt es Ihnen, einen Freispruch zu erwirken — und niemand würde sich darüber mehr freuen als wir — , so ernennen wir Ihre Rasse zum Vollmitglied unseres großen galaktischen Bundes. Wenn Sie versagen, droht dem Planeten Erde die Vernichtung.«

»Und das nennt ihr zivilisiert . . .«, brauste Stevens auf.

»Wir verhandeln jede Woche an die fünfzig Fälle«, unterbrach ihn Mordregon. »Es ist das einzig rationelle System.«

»Unsere Flotten kosten ein Vermögen«, rief jemand aus der Menge. »Wie sollten wir da sämtliche labilen Rassen im Auge behalten?«

»Erinnert ihr euch noch an das zeitfressende kleine Reptil aus der Magellanschen Wolke?« warf Ped² mit einem leisen Lachen ein. »Einfach widerlich. Hatte einen verrückten Plan für eine tausendjährige Herrschaft seiner Rasse . . .«

»Ich würde vor Langeweile sterben, wenn ich diese komischen Wesen auch nur eine Stunde beobachten müßte«, meinte Mordregon, und ein Schauer durchlief ihn.

»Ruhe!« fauchte Arntibis Isis. Als endlich wieder Stille herrschte, wandte er sich an Stevens: »Und nun zu den Prozeßbedingungen.

Erstens: Gegen unsere Entscheidung kann kein Einspruch erhoben werden. Sobald die Verhandlung zu Ende ist, bringt das Roboterschiff Sie zurück auf die Erde. Dort erfahren Sie unser Urteil.

Zweitens: Ich versichere Ihnen, daß wir Ihren Fall so fair wie möglich behandeln werden. Sie halten uns vielleicht für hart und grausam. Aber unsere Galaxis ist klein und bietet keinen Platz für nutzlose Geschöpfe. Wir haben ohnehin Kummer genug mit unseren Nachbarn von der Elften Galaxis ...

Drittens: Viele der hier Versammelten verfügen über Kräfte, die Sie nicht besitzen — Telepathie, Präkognition, Psychokinese und ähnliches. Sie werden ihre Fähigkeiten nicht einsetzen, damit wir objektiv urteilen können. Darauf haben Sie mein Wort.«

Er machte eine Pause. »Darüber hinaus gibt es nur noch eine Bedingung: Sie werden den Prozeß gegen die Menschheit selbst führen.«

Die Zeit schien stillzustehen. Stevens starrte Arntibis Isis ungläubig an; das säulenförmige Geschöpf rührte sich nicht. Dann wanderten die Blicke des Terraners zu Mordregon und den anderen weiter, suchten den ganzen Saal ab. Niemand kam ihm zu Hilfe. Und die Erde war weit, weit weg.

»Den Prozeß selbst führen?« murmelte er erregt.

Die Hohen Herrscher gaben keine Antwort. Sie hatten ihm den Weg gezeigt. Nun war er auf sich selbst gestellt. Die Existenz der Erde stand auf dem Spiel. Panische Angst erfaßte ihn, aber er kämpfte sie nieder. Angst war ein Luxus, den er sich im Moment nicht leisten konnte; jetzt half nur noch kühle Berechnung. Mit zitternden Fingern tastete er nach der winzigen Beule an seiner Kehle. Gut, er war nicht unvorbereitet.

»Den Prozeß selbst führen«, wiederholte er ruhiger.

Ein klassischer Alptraum, dachte er. Jemand steht vor einer Zuhörerschar und versucht seine eigene Existenz zu erklären; er redet, redet, und es nützt nichts; denn wenn es eine Erklärung gibt, so läßt sie sich nicht in Worte fassen; wenn es möglich ist, die Seele zu offenbaren, so nicht vor diesem Publikum. Ich muß wohl mein Leben lang den Wahn von einem gnadenlosen Strafgericht mit mir herumgeschleppt haben. Nun bin ich verrückt geworden. Ich werde in alle Ewigkeit vor diesem Wall von Augen stehen und Rechtfertigungen für ein Verbrechen suchen, das ich überhaupt nicht begangen habe.

Die Rechtecke von Mordregons Gewand drehten sich langsam. Er starrte sie an. Nein, das hier war die Realität. Es hatte keinen Sinn, ihr zu entfliehen, auch wenn sie ihm Furcht einjagte.

Er begann zu sprechen.

»Ich schließe aus eurem Schweigen, daß ihr mir tatsächlich zwei Rollen aufzwingt. Kläger und Angeklagter dürfen nicht auf dem gleichen Intelligenzniveau stehen; darüber hinaus müssen die Fragen so formuliert werden, daß die Antworten ein möglichst günstiges Bild für die Menschheit ergeben. Dieses Verfahren erhöht die Gefahr meines Scheiterns, und ich empfinde es als eine Verhöhnung jeder Gerechtigkeit.

Oder sollte ich ebenfalls schweigen? Würdet ihr mein Schweigen als Beweis dafür werten, daß meine Rasse den Unterschied zwischen gerecht und ungerecht kennt — sicherlich eine Hauptvoraussetzung für das Entstehen jeder Zivilisation?«

Er machte eine kurze Pause, aber er gab sich keiner Illusion hin. So einfach war die Sache nicht. Oder doch? Stevens versuchte das Problem vom Standpunkt der anderen zu sehen; es gelang ihm nicht. Er konnte nur nach seinen eigenen Normen urteilen — und das wollten sie natürlich. Dennoch sprach er nicht weiter. Er vertraute dem Schweigen mehr als Worten.

»Ein Punkt für Sie! Fahren Sie fort!« Die Stimme von Ped klang brüsk, aber er nickte Stevens aufmunternd zu.

Stevens wischte sich mit einem Taschentuch die Stirn ab. Ob sie das als Verteidigung akzeptieren? überlegte er. Daß ich schwitze wie ein Tier, mich aber bereits weit genug vom Tier entfernt habe, um das Schwitzen als lästig zu empfinden?

Schwitzen sie eigentlich, irgendeiner von ihnen? Vielleicht empfinden sie Schwitzen als etwas Positives. Wie soll ich das wissen?

Seine Gedanken bewegten sich sinnlos im Kreis.

Er war Terraner, eins neunzig groß und nicht schlecht gebaut; er hatte sich auf einem rauhen Posten auf Ganymed bewährt; er kannte eine entzückende Frau namens Edwina. Sollte er von ihr erzählen, von ihrer Schönheit, von ihrem zärtlichen Blick, als er Abschied nahm? Er konnte sagen, wie herrlich es war, einfach in den Tag hinein zu leben und an Edwina zu denken — auch wenn im Hintergrund das Wissen nagte, daß ihnen die Jugend irgendwann entgleiten würde.

Unsinn! rief er sich zur Ordnung. Mit Gefühlen ist hier nichts zu erreichen. Die Kerle wollen harte Tatsachen.

Einen Moment lang dachte er an all die anderen Geschöpfe, die vor ihm hier gestanden und um die richtigen Worte gerungen hatten. Wie viele waren dabei gescheitert?

Stevens sammelte sich, dann sah er erneut die Hohen Herrscher an.

»Es gilt also, eine menschliche Tugend zu finden, die so bewundernswert ist, daß sie meine Rasse vor dem Untergang rettet. Nun, Bescheidenheit gehört mit zu meinen persönlichen Tugenden, und deshalb fällt es mir schwer, alle anderen guten Eigenschaften der Menschheit aufzuzählen — Klugheit, Geduld, Mut, Treue, Ehrerbietung, Güte oder auch Humor. Leider sind diese Tugenden Allgemeingut jeder Zivilisation, oder sollten es zumindest sein; sie definieren erst die Zivilisation. Ich nehme an, ihr sucht etwas anderes, ein Talent oder eine Fähigkeit, die der Mensch allein besitzt . . .«

Er warf einen Blick in die Menge. Niemand rührte sich. Dieses verdammte Schweigen!

»Ich werde darüber nachdenken, wenn ihr mir ein wenig Zeit gebt.« Pause. »Oder ist es falsch, an eure Barmherzigkeit zu appellieren? Der Mensch besitzt Barmherzigkeit — aber jemand, der sie nicht kennt, wird sie auch nicht als Tugend betrachten.«

Ihr Schweigen wuchs. Es hüllte ihn ein. Waren sie ihm feindlich gesonnen oder nicht? Ihre Haltung verriet nichts. Er vermochte keinen objektiven Gedanken zu formen. Anders ausgedrückt, er dachte subjektiv. Ließ sich das vielleicht in eine Art Tugend kleiden? Konnte er ihnen einreden, daß es etwas Besonders war, subjektiv zu denken?

Verdammt, so kam er nicht weiter; er war nicht der Typ für metaphysische Gedankengänge. Wahrscheinlich blieb ihm nichts anderes übrig, als seinen letzten Trumpf auszuspielen. Mit einem kaum merklichen Zucken der Halsmuskeln schaltete er das Miniaturgerät im Kehlkopf ein. Sofort begann es zu summen. Der Laut beruhigte ihn.

»Ich muß einen Augenblick nachdenken«, erklärte Stevens der wartenden Menge.

Ohne die Lippen zu bewegen, wisperte er: »Hallo, Erde! Erde? Hier spricht Dave Stevens. Könnt ihr mich über die Lichtjahre hinweg verstehen?«

Nach einer kurzen Pause begann die winzige Beule hinter seinem rechten Ohr zu pochen. Eine schwache Stimme erwiderte: »Hallo, Stevens, hier Zentrale! Wir warten schon auf Nachricht von Ihnen. Wie läuft die Sache?«

»Der Prozeß hat begonnen. Ich mache keine besonders gute Figur.« Seine Lippen zuckten leicht; er preßte die Hand vor den Mund und stand wie in Gedanken versunken da. Eine ziemlich verdächtige Haltung, fand er. »Viel kann ich nicht sagen«, fuhr er fort. »Ich befürchte, daß sie den Strahl entdecken werden und unser Gespräch als Verstoß gegen die Spielregeln betrachten.«

»Machen Sie sich darüber keine Gedanken, Stevens. So leicht kann man einen Subradiostrahl nicht aufspüren. Wir verbinden Sie jetzt wie vereinbart mit dem Computer. Er liefert sicher die richtigen Antworten.«

»Ich wüßte nicht, welche Fragen ich stellen sollte; die Burschen waren äußerst sparsam mit ihren Hinweisen. Nein, ich wollte euch nur mitteilen, daß ich aufgebe. Es hat keinen Zweck. Sie sind uns einfach überlegen. Vielleicht lassen sie *sich von dem alten Argument erweichen, daß jede Rasse einzigartig ist und daher vor der Vernichtung bewahrt werden sollte.«*

»*Wir vertrauen ganz auf Ihr Urteil, Stevens*«, kam die schwache Antwort. »*Viel Glück! Ende.*«

Stevens warf einen Blick auf die Versammlung der Hohen Herrscher. Viele von ihnen hatten riesige Ohren. Es war anzunehmen, daß der eine oder andere das kurze Gespräch mitgehört hatte. Stevens setzte eine gleichmütige Miene auf und wandte sich an die Menge:

»Ich habe euch nichts mehr zu sagen«, begann er. »Und im Grund bereue ich, daß ich überhaupt etwas gesagt habe. Dieser Prozeß ist eine Farce. Stellt euch vor, ihr würdet über sämtliche Insektenarten des Universums Recht sprechen! Könnten sie sich verteidigen? Nein! Also müßtet ihr sie ausrotten — und dabei selbst zugrunde gehen, denn Insekten stellen einen lebenswichtigen ökologischen Faktor dar. Das gleiche gilt für den Menschen. Woher sollen wir all unsere verborgenen Kräfte kennen? Das kann nur eine Rasse, die ihre Möglichkeiten bereits ausgeschöpft hat und zum Untergang verurteilt ist. Ich habe euch durchschaut, und ich verlange, daß ihr die Menschheit in Ruhe laßt, damit sie sich auf ihre Weise weiterentwickeln kann.

Und nun bringt mich bitte zurück auf die Erde!«

Stevens sah sich beifallheischend um. Sein Ausbruch blieb unbeachtet. Nur die Gewänder der Hohen Herrscher raschelten und knisterten in der Stille. Einen Moment lang hatte er das Gefühl, daß Mordregon ihm zunickte; dann verschwammen die Gestalten. Stevens stand vor leeren Rängen.

Ein Roboter holte ihn ab.

Etwa einen Monat später landete Stevens auf Luna Eins, wo ihn Lord Sylvester überschwenglich begrüßte.

»Es hat geklappt«, sagte Stevens. »Ich schwöre, es hat geklappt.«

»Die Burschen ließen sich von Ihren Argumenten überzeugen?« fragte Sylvester eifrig.

»Nein. Anfangs versuchte ich es zwar mit Vernunft und Logik, aber ich kam nicht ans Ziel. Da fiel mir wieder ein, was Sie gesagt hatten: Geschöpfe, die eine Galaxie regieren, müssen nüchterne Rechner sein. Wenn man ihnen ein technisches Spielzeug, das sie noch nicht kennen, unter die diversen Nasen hält, stehen sie sicher Schlange, um es an sich zu bringen.«

»Und den Subradiostrahl kannten sie nicht!« Sylvester brach in Gelächter aus.

»Natürlich nicht — weil es ihn nicht gibt und nicht geben kann! Das haben unsere Wissenschaftler längst bewiesen. Ich mußte übrigens nicht einmal das Gespräch in diese Richtung lenken. Sie verrieten ganz nebenbei, daß sie das Problem der Zeitverzögerung noch nicht gelöst hätten.«

»Der Mini-Recorder, den wir hinter Ihrem häßlichen Ohr versteckten, hat also seinen Zweck erfüllt?«

»Beinahe wäre ich selbst darauf hereingefallen«, versicherte Stevens begeistert.

Aber dann — er wußte selbst nicht, weshalb — verließ ihn die Siegesstimmung, die ihm während der ganzen Rückreise Auftrieb gegeben hatte. Der Trick erschien ihm mit einemmal nicht mehr so raffiniert. Es enttäuschte ihn, daß die Hohen Herrscher ohne weiteres darauf hereingefallen waren.

Sein Blick schweifte zum Horizont. Die Erde hing niedrig über den Mondbergen. Sie hatte die Farbe von Grünspan.

Sylvester plauderte munter weiter: »Puh, Sie nehmen eine Riesenlast von mir! Zehn Jahre bin ich seit Ihrer Abreise gealtert. Wann erfahren wir wohl das Urteil, Dave — das große Ja oder Nein?«

»Es dauert sicher nicht mehr lang — aber ich bin überzeugt davon, daß wir Gnade vor den galaktischen Herrschern gefunden haben. Einige dieser Mammutohren müssen die Stimme gehört haben.«

Sylvester hieb Stevens freudestrahlend auf die Schulter. Doch dann wurde er ernst. »Was sagen wir ihnen, wenn sie auf die Subradio-Erfindung zu sprechen kommen?« fragte er. »Ach was, das hat Zeit. Versprochen haben wir schließlich nichts. Ich muß mich jetzt um die Zeitungsfritzen kümmern — die nehmen einen schlimmer in die Mangel als ein Rudel galaktischer Herrscher. Übrigens erwartet Sie der Präsident ... und Edwina hat Ihnen schon Ihren Lieblingsdrink gemixt.«

»Nichts wie los!« Allmählich wich die Niedergeschlagenheit von Stevens.

»Irgendwie kommen Sie mir verändert vor«, stellte Sylvester fest. »Erschöpft, hm?«

»Nun ja, es war anstrengend . . .«

In diesem Moment klang ein schwaches Summen auf, und das Roboterschiff erhob sich vom Landefeld. Stevens winkte, dann wandte er sich rasch ab und folgte Sylvester zu den Atmosphärekuppeln von Luna Eins. Er fröstelte.

Wenn unser Rat der Hohen Herrscher bisher unbekannte Rassen beurteilt, kann er sich keinen Irrtum leisten; daher befinden sich in seinen Reihen immer Telepathen. Man verlangt von den Vertretern einer Rasse nur eins — Ehrlichkeit. Ein harmloser Prüfstein, nicht wahr? Und doch für viele eine unüberwindbare Hürde. Die Terraner jagten Phantomen nach; sie quälten sich mit den verrücktesten Winkelzügen. Stevens war ein ehrlicher Mensch, aber er vertraute seiner Ehrlichkeit nicht. Wenn wir aber eine Rasse der Lüge überführen, so rotten wir sie aus; in der Galaxis ist kein Platz für sie.

Das Roboterschiff verließ den Mondorbit und jagte auf die Erde zu. Der Zeitzünder tickte erwartungsvoll. Er zählte die Sekunden bis zur Detonation.

Und das wäre natürlich das Ende der Geschichte gewesen — zumindest für die Erde. Sie hätte den Tod gefunden wie so manche andere Welt. Aber Mordregon entschied anders. Stevens' Bluff entsprach seinem Sinn für Humor. Zudem konnte man die verdrehte Denkweise der Terraner vielleicht als Waffe gegen die verdrehte Denkweise der Feinde von der Elften Galaxis einsetzen. Mordregon nannte seinen Entschluß eine »Kriegsmaßnahme«.

Ruhig erteilte er dem Roboterschiff neue Befehle. Es schwenkte von seinem ursprünglichen Ziel ab und kehrte zurück in den Heimathafen. Die Botschaft übermittelte ein Subradiostrahl.

Man mußte gefährlichen Rassen nicht alles verraten.

ZEIT

FÜR ALLE ZEIT

> Er war geschaffen nicht für eine, sondern für alle Zeit.
>
> *Ben Jonson*

Eine Matratzenfeder quietschte und ächzte, Nebel lösten sich auf, Rodney Furnell erwachte. Im Bad nebenan kratzte ein Rasiermesser über Bartstoppeln; der Junge war also bereits auf. Auch Valerie, seine zweite Frau, hatte sich längst erhoben. Schuldbewußt kroch Rodney aus den Federn und vollführte ein paar zaghafte Lockerungsübungen. Ja, die Jugend! Sobald sie entschwand, versuchte man sie mit allen Mitteln festzuhalten. Seine Fingerspitzen berührten die Zehen.

Hier kicherte das Publikum zum erstenmal.

Als Rodney endlich in seinem Sonntagsanzug steckte, war es neun. Valerie und Jim (Rodney hatte es geflissentlich vermieden, seinem Nachkommen einen literarischen Namen zu geben) saßen einträchtig in der hellen kleinen Küche und löffelten ihre Cornflakes.

Neue Erheiterung beim Anblick der ›modernen‹ Einrichtung des zwanzigsten Jahrhunderts!

»Hallo, ihr beiden«, begrüßte er sie. »Ein herrlicher Morgen, was?« Er küßte Valerie auf die Stirn. Genau genommen quälte sich die Sonne nur mühsam durch den Septembernebel; aber ein Mann von zweiundvierzig wappnet sich instinktiv mit Enthusiasmus, wenn er eine Frau geheiratet hat, die fünfzehn Jahre jünger ist.

Das Publikum hatte eine besondere Schwäche für Mahlzeiten. Begeistert registrierte es all das süße antiquierte Beiwerk — Toaster, Teekanne, Zuckerzange . . .

Valerie strahlte Frische und Jugend aus. Jim trug an diesem Morgen ein lässig-elegantes Hemd mit offenem Kragen. Er behandelte seine Stiefmutter äußerst zuvorkommend. Fast ein wenig zu männlich und zuvorkommend für einen Neunzehnjährigen. Die beiden hatten die Sonntagszeitung vor sich liegen und plauderten über die neuesten Bücher und Theaterstücke. Gelegentlich konnte Rodney bei einem der Bücher einen Satz einflechten. Er selbst las beim Frühstück nie, weil er das Gefühl hatte, daß Valerie ihn nicht gern mit Brille sah.

Wie das Publikum vor Vergnügen wieherte, wenn er das Ding später in seinem Arbeitszimmer aufsetzte! Und er brachte nicht einmal die Kraft auf, die Proleten mit einer verächtlichen Miene zu strafen.

Der Tag rollte ab wie tausendmal zuvor, ohne die geringste Abweichung, eine abgedroschene Melodie, die sich ewig wiederholte — zum Gaudium dieser Narren, die über die albernsten Kleinigkeiten lachten.

Anfangs war er entsetzt gewesen. Ein unheimliches Gefühl, daß jemand ihn und die Seinen einfach aus dem Grab holen konnte. Dann, als er schließlich mit dem Gedanken vertraut war, hatte er sich geschmeichelt gefühlt. Ausgerechnet *seinen* Alltag, *sein* bescheidenes Leben wollten diese weisen Geschöpfe sehen ... Doch der Trost währte nicht lange. Rodney entdeckte bald, daß man ihn als Hanswurst in irgendeiner Jahrmarktbude der Zukunft mißbrauchte, zum Ergötzen der primitiven Masse, nicht etwa zur Erbauung von Intellektuellen.

Er schlenderte mit Valerie durch den verwilderten Garten, einen Arm um ihre Taille gelegt. Das Wetter war mild und schläfrig. Die Nachbarn hatten ihr Radio ausgeschaltet.

»Mußt du diesem verknöcherten alten Professor unbedingt heute deine Aufwartung machen?« fragte sie.

»Das weißt du doch!« Er schluckte seinen Ärger hinunter und fügte hinzu: »Aber nachmittags fahren wir ins Grüne — nur wir beide!«

Auch das rief unfehlbar Gelächter hervor. Offensichtlich hatte ›ins Grüne fahren‹ in der Zukunft einen etwas obszönen Beigeschmack. Jedesmal wenn Rodney den Satz gebrauchte, zitterte er vor der Reaktion dieser schemenhaften Gestalten, die von allen Seiten sein Privatleben belauerten. Und doch konnte er etwas, das er einmal gesagt hatte, nicht mehr verändern.

Er küßte Valerie — weltmännisch, wie er hoffte — das Publikum grölte, und er ging zur Garage. Seine Frau kehrte ins Haus zurück, zu Jim. Was sich da drinnen abspielte, würde er nie erfahren, und wenn sich der Tag noch so oft wiederholte. Er hegte den Verdacht, daß sein Sohn in Valerie verliebt war und umgekehrt. Eigentlich sollte sie Verstand genug haben, um die Vorzüge eines reifen Mannes zu erkennen. Was wollte sie mit einem neunzehnjährigen Grünschnabel? Außerdem hatte ihn, Rodney Furnell, erst vor anderthalb Jahren ein namhafter Kritiker als ›vielversprechendes junges Talent der Geschichtsliteratur‹ bezeichnet.

Rodney hätte das Eptuagint-College ohne weiteres zu Fuß erreichen können. Aber er nahm lieber das Auto, denn erstens war es neu und zweitens eine Nummer zu groß für das Dozentengehalt, das er bezog. Natürlich kreischten die Zuschauer vor Vergnügen, als sie den Mini-Morris erblickten. Während er die Windschutzscheibe saubermachte, stieg Haß in ihm hoch, Haß gegen sämtliche Nachkommen der Menschheit.

All die Demütigung wäre ihm erspart geblieben, wenn er nicht gewußt hätte, was sich abspielte. Aber in einem Winkel seines Bewußtseins war Platz für den hilflosen Beobachter Rodney. Gemeinsam mit dem Hauptdarsteller Rodney betrat er immer wieder die Bühne der Vergangenheit.

Obwohl er als Historiker von Naturwissenschaften keinen Schimmer hatte, konnte sich Rodney ungefähr zusammenreimen, was geschehen war. Irgendwann in der Zukunft hatte es die Menschheit fertiggebracht, die Vergangenheit aufzudecken — im wörtlichen Sinne. Die verflossenen Jahre lagen wie Filme in einem Archiv. Wie Filme konnte man sie immer wieder abspulen, wenn man einen geeigneten Projektor besaß. Und der eine Herbsttag in Rodneys Leben wurde immer wieder abgespult.

Er hatte so oft über die Situation nachgedacht, daß sie ihm längst kein Entsetzen mehr einflößte. Jener Tag war ruhig und trivial verlaufen und dann in Vergessenheit geraten, bis ihn viele Jahre später jemand ans Licht gezerrt hatte. Jede Kleinigkeit wurde rekonstruiert, auch wenn Rodneys Innerstes sich dagegen empörte. Wenn er nur damals etwas geahnt hätte! Wie unzulänglich ihm jetzt jede seiner Gesten erschien, da er sie zehnmal, hundertmal, tausendmal vollführte!

War er immer so spießig gewesen wie damals? Und was hatte sich danach abgespielt? Da er zu jenem Zeitpunkt nichts über seine Zukunft wußte, konnte er es natürlich nicht sagen. War er lange mit Valerie glücklich gewesen? Hatte sein eben erst veröffentlichtes Buch über die Gerichtsbarkeit der Feudal-Epoche Anerkennung gefunden? All diese Fragen blieben unbeantwortet.

Valeries Handschuhe lagen auf dem Rücksitz. Er räumte sie weg. Armes Mädchen, sie teilte sein Los. Und doch konnte er ihr mit keiner Silbe, mit keiner Geste zu verstehen geben, daß sie Schicksalsgefährten waren.

Langsam fuhr er durch die Banbury Road. Wie immer spielte sich die Realität für ihn auf vier Ebenen ab. Da war einmal Oxford, die Außenwelt. Da waren Rodneys ursprüngliche Gedankengänge, während er sich durch die Außenwelt bewegte. Da waren die bitteren, verzweifelten Überlegungen des ›Jetzt-Ichs‹. Da waren die Schemen aus der Zukunft, einmal näher und dann wieder im Dunkel verborgen. Diese vier Ebenen durchdrangen einander und brachten Rodney halb zum Wahnsinn.

Hin und wieder fing er Gesprächsfetzen von den Zuschauern aus der anderen Zeit auf. Sie zumindest wechselten täglich. »Wenn er sich nur sehen könnte!« Oder: »Habt ihr *ihre* ulkige Frisur gesehen?« Oder: »Einfach ein Knüller!« Oder: »Mami, was ißt der da für ein komisches braunes Zeug?« Oder (wie oft hatte er das gehört!): »Wenn der Mann wüßte, daß wir ihn beobachten!«

Die Kirchenglocken dröhnten, als er vor dem College den Motor abstellte. Gleich saß er wieder in dem muffigen Studierzimmer und trank ein Glas Wein mit dem muffigen alten

Professor. Zum x-ten Mal würde er eine Spur zu freundlich grinsen, weil ihn der Ehrgeiz dazu trieb. Seine Gedanken huschten hin und her, vor und zurück. Wenn er nur etwas *tun* könnte! So verging jeder Tag. Und dann kam die Nacht. Ein letztes Prusten, wenn sie Valeries Nachthemd und seinen Pyjama sahen — und dann Vergessen.

Vergessen, das eine Ewigkeit dauerte, für ihn jedoch im Nu verging ... und *sie* spulten einfach den Film zurück und ließen ihn noch einmal ablaufen und dann noch einmal ... und immer wieder.

Der Professor freute sich, ihn kennenzulernen. Oh, die Freude war ganz auf seiner Seite. Ja, ein prächtiges Wetter. Nein, er hatte — mal nachdenken — vor zwei Jahren den letzten richtigen Urlaub gemacht. Und dann kam der Satz, der das Publikum zu wahren Lachsalven hinriß. Rodney sagte zwangsläufig: »Oh, irgendwie trachtet doch jeder danach, daß ihn sein Ruhm überlebt!«

Daß er diese Worte immer wieder sagen mußte und immer auf die gleiche selbstgefällige Weise, obwohl sein Wunsch längst in Erfüllung gegangen war — und wie! Wenn er nur vorher sterben könnte! Wenn nur der Film reißen würde!

Und da riß der Film tatsächlich.

Das Universum begann zu flimmern, erstarrte und löste sich in einen matten Purpurschein auf. Es war kalt und vollkommen still. Rodney Furnell erstarrte mitten in einer Geste, die Arme halb ausgestreckt, ein Weinglas in der Rechten. Das Flimmern, der Purpurschein, die Kälte durchdrangen ihn; doch bevor er selbst ins Nichts glitt, erwachte eine große Hoffnung in ihm. Sein gegenwärtiges Ich ergriff gierig Besitz von dem alten Rodney. Selbstvertrauen durchflutete ihn, während er gegen das Nicht-Sein ankämpfte.

Das Weinglas verschwand aus seiner Hand. Die Umrisse des Professors wurden nebelhaft, er verschwand ebenfalls. Dunkelheit umgab Rodney. Er drehte sich um. Es war eine

spontane Bewegung, *eine Rolle, die nicht im Drehbuch stand.*
Er lebte, und er war frei!

Die Hülle des zwanzigsten Jahrhunderts war geplatzt; er
befand sich in der Zukunft. Rodney stand auf einer leeren
schwarzen Plattform. Man sah die Spuren einer Detonation.
Über ihm ragte ein Kranausleger auf, mächtig wie eine Loko-
motive und an der Unterseite mit mehreren Trichtern versehen. Aus einem der Trichter quoll Rauch. Zweifellos ein
Zeit-Projektor — wenn das die richtige Bezeichnung war — und
ebenso zweifellos hatte das Ding einen Defekt.

Rodney sah sich neugierig um. Mit Schadenfreude stellte er
fest, daß der Ausfall der Maschine eine Panik im Publikum
ausgelöst hatte. Die Menschen schrien durcheinander und
drängten nach draußen. In einer Ecke war es sogar zu einer
Schlägerei gekommen. Männer wie Frauen steckten vom Kinn
bis zu den Knöcheln in schlotternden transparenten Säcken.
Und so etwas wagte es, über seinen Pyjama zu spotten!

In dem Gewimmel fiel es niemanden auf, daß Rodney seinen Platz verließ. Anfangs lähmte ihn der Gedanke, daß er
frei war; er konnte es kaum fassen, daß er lebte. Dann jedoch
kam die Erkenntnis, daß seine Freiheit kostbar war — doppelt
kostbar nach dieser entsetzlichen Form der Gefangenschaft! —
und daß er rasch von hier fort mußte, wenn er sie behalten
wollte.

Vor einem großen Schild am Eingang blieb er kurz stehen
und las:

EIN QUERSCHNITT DURCH DIE JAHRHUNDERTE
UNTERHALTSAM UND LEHRREICH ZUGLEICH!
SIE LACHEN TRÄNEN ÜBER DIE POSSEN IHRER VOR-
FAHREN!
BITTE TRETEN SIE NÄHER!

Darunter befand sich ein Stapel mit Prospekten.

Rodney griff mit zitternden Fingern nach einem der kitschi-
gen Heftchen und steckte es ein. Dann machte er sich aus dem
Staub.

Sein Verdacht mit dem Rummelplatz hatte sich also bestätigt. Valerie und er waren die Opfer von Astlochguckern. Eine fröhlich gestimmte Menschenmenge umlagerte die Vorführräume. Um Rodney kümmerte sich niemand. Fahnen wehten, Fanfaren schmetterten, Leuchtschilder blinkten.

DIE VENUSIER SIND *HIER*!

las Rodney, und:

GENIESSEN SIE DIE EROTISCHEN MÖGLICHKEITEN DES FREIEN FALLS!

Zum Glück befand sich ein Ausgang in der Nähe. Rodney machte einen Bogen um den Kassier, der ihn anzuhalten versuchte, und gelangte auf eine Straße mit einem seidig schimmernden Belag. Er folgte ihr, bis ihn die Müdigkeit übermannte. Ein Gebilde aus Metall in der Form eines Schuhs und der Größe eines mittleren Bungalows stand am Straßenrand. Rodney spähte durch die Fenster. Keine Menschenseele — nur weich gepolsterte Bänke. Es war ein stummes Angebot. Mit einem Seufzer der Erleichterung kletterte Rodney ins Innere.

Erst als er sich ein wenig erholt hatte, erkannte er, in welcher unmöglichen Lage er sich befand. Jahrhunderte nach seiner Epoche gestrandet — in einer Welt der Supertechnik und der Barbarei! Zumindest hatte er diesen Eindruck gewonnen. Aber sie war immer noch besser als der Alptraum, dem er gerade entronnen war. Was er jetzt vor allem brauchte, war Zeit zum Nachdenken.

»Sind Sie startbereit, Sir?«

Rodney zuckte zusammen, aufgeschreckt von einer Stimme ganz in der Nähe. Niemand war zu sehen. Das Innere des Metall-Gebildes mit seinen breiten weichen Sitzen ähnelte einem Bus.

»Sind sie startbereit, Sir?« wiederholte die Stimme.

»Wer spricht da?«

»Schaffner Sieben Sechs Eins My, Sir. Ich erwarte Ihre Befehle.«

»Ich — ich soll ein Ziel nennen?«

»Ganz recht, Sir.«

»Fahren wir einfach los, fort von hier!«

Im nächsten Moment setzte sich das Gefährt lautlos in Bewegung. Der Rummelplatz mit seinen grellen Leuchtreklamen blieb zurück. Vereinzelt glitten Häuser draußen vorüber. Sie bestanden aus einem Material, das an Vorhangtüll erinnerte.

»Fahren wir aufs Land?« erkundigte sich Rodney.

»Wir sind auf dem Land, Sir. Ziehen Sie die Stadt vor?«

»Nein. Was gibt es noch außer der Stadt und dem Land?«

»Nur die Meeresplantagen, Sir.«

Rodney hatte seine Fragen instinktiv an ein Instrumentenpult gerichtet, das sich im Bug des Gefährts befand. Nun meinte er stockend:

»Spreche ich mit einem — äh — Roboter?«

»Jawohl, Sir. Schaffner Sieben Sechs Eins My. Neu auf dieser Strecke, Sir.«

Rodney seufzte erleichtert. Einem Menschen hätte er jetzt nicht gegenübertreten können. Eine Maschine flößte ihm wenigstens keine Minderwertigkeitskomplexe ein. Für einen Roboter besaß das Ding eine angenehme Stimme — wie sein ehemaliger Angelsächsisch-Professor. Wie lange mochte diese Zeit zurückliegen?

»Welches Jahr haben wir?« fragte er.

»Zyklus Null, Epoche 82 der neuen Zeitrechnung. Das entspricht dem Jahr 2500 nach Christus.«

Es war die erste direkte Bestätigung seines Verdachts, daß er sich in der Zukunft befand. Diese kühle, gleichmütige Stimme konnte sich nicht täuschen.

»Danke«, sagte er verzweifelt. »Und jetzt möchte ich nachdenken.«

Aber das Nachdenken brachte weder Trost noch Resultate. Das Vernünftigste war es vielleicht, sich irgendeiner Behörde anzuvertrauen. Aber gab es überhaupt noch Behörden? Und war das, was in seiner Zeit als vernünftig galt, auch in der Zukunft vernünftig?

»Schaffner, kennst du Oxford?«

»Was ist Oxford, Sir?«

Angst stieg in ihm hoch. »Wir — wir befinden uns doch in England?«

»Jawohl, Sir. Und ich habe Oxford in meinem Kursspeicher entdeckt. Eine Triebwerke- und Raumschiff-Fabrik in den Midlands, Sir. Soll ich Sie hinbringen?«

»Nein, fahr einfach weiter!«

Er holte den Prospekt aus der Tasche und blätterte ihn durch. Vielleicht fand er hier einen Anhaltspunkt.

»*Archäochronos* bietet Ihnen eine Fülle von Einblicken in die Vergangenheit! Unser Programm enthält a) den Tagesablauf eines Dinosaurier-Weibchens; b) Wilhelm der Eroberer und sein ruchloser Neffe; c) die Pest in London; und d) das Liebesleben eines Hochschullehrers aus dem 20. Jahrhundert.

Vierdimensional — ungekürzt — wirklichkeitsgetreu!«

Empört zerknüllte Rodney das Papier. Er überlegte verbittert, wie viele Menschen seiner Generation wohl von diesen Voyeuren bespitzelt wurden, ohne daß sie sich zur Wehr setzen konnten. Allmählich jedoch siegte die Neugier über seinen Zorn. Er strich den Prospekt wieder glatt und vertiefte sich in die Beschreibung.

Unter dem Titel *Ein epochales Vergnügen für Jung von Alt* las er:

»So wie die Antischwerkraft der Richtung der Massenanziehung entgegenarbeitet und damit das Gewicht eines Menschen aufzuheben vermag, so zerrt der Chrono-Greifer eine Maschine aus der vorgegebenen Zeitrichtung und schickt sie quer durch die Jahrhunderte, wo sie der Vergangenheit ein Fragment entreißt, ohne daß es die Betroffenen gewahr werden. Der hohe Kostenaufwand dieses Verfahrens . . .«

»Schaffner!« sagte Rodney schrill. »Was weißt du über diesen Chrono-Greifer?«

»Nur das, was ich gehört habe.«

»Wie soll ich das verstehen?«

»Meine Informationsspeicher enthalten nur Daten, die sich auf meine Aufgabe beziehen, Sir. Zusätzlich besitze ich jedoch einige Lernspeicher, und es gelingt mir hin und wieder, aus den Gesprächen der Passagiere ...«

»Schon gut. Eine Frage noch: Können nur Maschinen oder auch Menschen in die Vergangenheit gesandt werden?«

Immer noch huschten draußen Häuser vorbei, fremde, feindselige Gebilde in einer fremden feindseligen Welt. Rodney trommelte mit den Fingerspitzen nervös gegen den Sitz.

»Nur Maschinen, Sir. Menschen können nicht rückwärts leben.«

Lange Zeit saß er zusammengekauert da und schluchzte vor sich hin. Der Roboter versuchte ihn zu trösten, aber auf diese Situation war er nicht programmiert.

Schließlich wischte sich Rodney mit dem Ärmel seines Sonntagsanzugs übers Gesicht. Er befahl dem Schaffner, ihn zum Hauptbüro der *Archäochronos* zu fahren. Dann ließ er sich in die Polster sinken und starrte vor sich hin. Nur die Erfinder dieser teuflischen Maschine konnten ihm helfen.

Aber würden sie es tun? Rodney hatte Angst, einem Geschöpf dieser erbarmungslosen Epoche gegenüberzutreten. So schaltete er einfach ab und dachte an den Frieden und die Ordnung seiner eigenen Welt, an Oxford und Valerie ... Valerie ...

Angenommen, die Zeitmaschine auf dem Rummelplatz wurde repariert, bevor er sein Ziel erreichte? Er wagte nicht, sich die Folgen auszumalen.

»Schneller, Schaffner!« rief er.

Die wenigen Häuser am Straßenrand verdichteten sich zu einer Wand.

»Schneller!« kreischte er.

Die Wand wurde ein Nebel.

»Wir haben 2,3 Mach«, erklärte der Schaffner ruhig.

»Schneller!«

Der Nebel wurde ein Schrei.

»Gleich werden wir zerschmettert, Sir!«

Sie wurden zerschmettert. Schwärze — wohltuend, vollkommen.

Eine Matratzenfeder quietschte und ächzte, die Nebel lösten sich auf, Rodney erwachte. Im Bad nebenan rasierte sich Jim.

DAS ORAKEL

Der Uhrenturm des Palastes von Harkon wies auf das kalte Meer hinaus.

Auch König Able Harkon Horace starrte die leere Wasserfläche an. Er wußte nicht, welch bedeutsamer Tag für ihn angebrochen war; wie gewöhnlich weilten seine Gedanken bei dem rätselhaften Leiden, das ihn befallen hatte.

Der König war jung, kaum über dreißig; doch die Krankheit hatte sein Gesicht gezeichnet, und der fiebrige Glanz seiner Augen verriet, daß er nicht mehr die Willenskraft besaß, um die Bürde zu tragen. Kein Mensch konnte sagen, was ihm fehlte. Hunderte von Ärzten und Quacksalbern hatten versucht, ihn zu heilen — vergebens. Es gab kein Mittel gegen die tückischen Anfälle, die ihn tagelang aufs Krankenlager warfen und das beklemmende Gefühl in ihm weckten, die Zeit sei stehengeblieben.

König Horace herrschte über ein kleines Reich an der Nordsee, eine jener friedvollen Oasen, die nach der Erfindung des Null-Antriebs und dem Zusammenbruch der Weltregierung entstanden waren. Seine Untertanen lebten vom Fischfang und der Raumfahrtindustrie.

Mit einem Ruck erhob sich der König von seinem Thron.

»Schweig!« befahl er, und der Vorlese-Mechanismus schaltete sich aus. König Horace war ein wenig nervös, weil er an seinen bevorstehenden Besuch auf dem Kur-Planeten Upotia dachte. Upotia hatte in der ganzen Galaxis Berühmtheit wegen seines gleichbleibend milden Klimas erlangt; allerdings wurde es dadurch auch immer mehr zum modischen Ziel von reichen Touristen.

Ungeduldig nahm der König seinen Stock und trat in die Wandelhalle hinaus. Sein Blick streifte müde und gelangweilt die Landschaft. Dabei bemerkte er, daß der Chef seiner Sittenpolizei auf den Palast zustrebte. Der Mann stand im Rang eines Luftmarschalls; in Harkons Reich fand das Laster keinen Boden.

Der Luftmarschall schleifte einen Gefangenen mit sich, einen geschniegelten Kerl in weißer Uniform und braunen Handschuhen, der lauthals protestierte, daß er sich in einem freien Land befinde.

»Wer ist der Bursche?« fragte König Horace und deutete mit dem Stock auf die weiße Uniform. »Ich habe ihn noch nie hier gesehen.«

Der Luftmarschall verbeugte sich tief und erklärte, der König möge sich durch das elegante Auftreten des Mannes nicht irreführen lassen; es handle sich um einen Nichtsnutz namens Tausch, der es mit einem Mädchen im Palastpark getrieben habe und deshalb hingerichtet werde.

»Gut«, befand der König.

»—!« entgegnete der Gefangene, worauf er fortgezerrt wurde.

Die Unruhe des Königs wollte sich nicht legen. Er verließ den Palast durch eine Nebenpforte und ging über einen steilen Kiespfad zum Meeresufer. Trotz des Maitages wehte ein kalter Wind. Der König wickelte sich enger in seinen Mantel. Wie ihn diese Dinge anekelten — vor allem seine Krankheit! Wie hatte der Gefangene geheißen? Tusch — nein, Tausch ...

Dicht neben ihm klang eine Stimme auf, die keinen Widerspruch duldete: »Ich weiß, wie du Heilung finden kannst!«

König Horace wirbelte herum. Der Fremde war klein und untersetzt. Seine Kleider verrieten, daß er von weither kam. Er stand so, daß der König sein Gesicht nicht erkennen konnte. Niemand von der Leibgarde befand sich in Rufweite, und so blieb Horace keine andere Wahl, als seinen Zorn zu bezähmen. Das merkwürdige Geschöpf erklärte, es sei ein Orakel, das viele Lichtjahre zurückgelegt habe, um dem König den Schlüssel zur Genesung zu verkaufen.

»Du benimmst dich recht ungehobelt für einen, der etwas verkaufen will!« rief der König.

Das Orakel spuckte nur.

»Also gut — was fehlt mir?« Horace schwankte zwischen Ärger und neu erwachter Hoffnung.

Statt eine Antwort zu geben, holte das Orakel ein flaches Medaillon hervor. Begierig streckte der König die Hand aus.

»Erst mein Lohn!« sagte das Orakel hart. »Wenn du mich nicht bezahlst, wirst du kein Vertrauen in die Kur haben.«

»Dann begleite mich in den Palast! Ich habe kein Geld bei mir.«

»Hältst du mich für einen Schwachkopf? Ich möchte nicht in einem deiner feuchten Verliese landen. Gib mir deinen Stock — das ist Lohn genug!«

Nun war der Stock des Königs in der Tat wertvoll. Er enthielt neben einem Regenschirm, einem Dolch und einem Betäubungsstrahler allerlei Medikamente, dazu Zyankali und Elastoplast für Notfälle, einen kleineren Goldvorrat, ein 3-D-Bild von Betsy Gorble, dem Tele-Star, und ein Verzerrgerät, das ihn automatisch vor Espern abschirmte. Der Stock stellte also einen Schatz dar. Dennoch tauschte ihn der König nach nur kurzem Zögern gegen das Medaillon ein. Das Orakel nahm ihn und verschwand blitzschnell hinter einer Düne.

Wie gelähmt starrte der König die winzige Kapsel an. Ein Windstoß entriß sie ihm, und sie rollte zum Ufer. Mit einem Aufschrei rannte der Herrscher über den feuchten Strand. Zwei Möwen flatterten kreischend auf. Das Medaillon hatte die Brandung erreicht. Horace beugte sich verzweifelt vor und bekam es gerade noch zu fassen.

Salzige Gischt sog sich in seinem Mantel fest. Er trat zurück — und der Boden unter seinen Füßen gab nach.

Im nächsten Moment steckte er bis zu den Hüften in einem Treibsandloch. Er spürte nichts als Schlamm. Instinktiv warf er sich flach hin. Seine Fingerspitzen ertasteten Grund und krallten sich fest. Die See dröhnte, die Möwen kreischten, und sein Herz hämmerte. Ruck um Ruck zog er sich aus dem schmatzenden Schlamm. Dann lag er eine Stunde lang keuchend zwischen den Dünen, bis er kräftig genug war, um sich zurück zum Palast zu schleppen.

Diener und Ärzte nahmen sich seiner an. Man steckte ihn in ein heißes Bad, machte ihm Vorwürfe wegen seines Leichtsinns und brachte ihn zu Bett. Eine Anwandlung von Dankbarkeit überkam den König. Er war am Leben geblieben; nun wollte auch er seine Großmut beweisen.

»Bringt diesen Tausch her!« befahl er. »Ich begnadige ihn.« Und insgeheim dachte er: »Kein schlechtes Geschäft! Schließlich ist mein Leben armselig im Vergleich zu dem seinen.«

Er ließ sich in die Kissen sinken, und ein Diener erschien mit dem Medaillon, das er bei seinem Kampf gegen den Treibsand ganz vergessen hatte. König Horace wartete, bis er allein war. Dann öffnete er das Ding mit zitternden Fingern. Ein Zischen, als Luft das Vakuum verdrängte, und der Deckel sprang auf. Ein weißer Streifen befand sich auf dem Boden des Medaillons; darauf stand der obskure Satz:

AUF GLOBADAN GEWANN ICH DAS
SHUBSHUB-RENNEN

Bittere Enttäuschung zeichnete die Züge des Königs. Er wollte die Botschaft vernichten, aber sie löste sich nicht von der Innenseite des Medaillons. In seinen Augen standen Tränen. Wie konnte ihm dieser Unsinn helfen? Und noch während er die Schrift anstarrte, verblaßte sie und wurde unsichtbar. Der König warf das Medaillon in hohem Bogen aus dem offenen Fenster.

Am nächsten Morgen befand sich König Horace in schlechter Verfassung. Dennoch konnte ihn niemand dazu bringen, seine Reise nach Upotia zu verschieben; er hielt starr an seinem Entschluß fest. Tausch wurde aus dem Gefängnis geholt und erhielt den Befehl, den König auf seiner Reise zu begleiten. Man machte ihm klar, daß sich Einwände irgendwelcher Art negativ auf die Begnadigung auswirken könnten. Also begaben sie sich zu dem winzigen Raumhafen des Landes. Der König achtete nicht auf die freundlichen Akklamationen seiner Untertanen. Kaum angelangt, verabschiedete er die Höflinge mit einem gequälten Winken und betrat den Lift des Passagierschiffes *Potent*. Sekunden später war er ihren Blicken entschwunden. Tausch, zwei ältliche Pflegerinnen und ein Gepäckträger folgten ihm lustlos; sie stellten seinen ganzen Hofstaat dar.

Raumschiffe, so heißt es oft, seien Erfindungen des Teufels. Nun, zur Zeit von König Horace war der Teufel offenbar ein schlechterer Ingenieur als heutzutage. Das Schiff gehörte nicht dem Herrscher selbst; sein Königtum war so klein, daß es sich lediglich ein paar Mondfrachter leisten konnte. Es befand sich im Besitz der Sol-Linie (Upotia — Wega mit sämtlichen Zwischenstationen) und war ein elender Kasten. Genauer gesagt, auf den Decks herrschte qualvolle Enge, es hatte eine miese Küche und kam nie richtig in Fahrt. So benötigte es für die sieben Lichtjahre bis Upotia nahezu vier Wochen.

Dennoch, Upotia war die kleine Unbequemlichkeit wert.

Zu Beginn der Reise schwieg der König düster vor sich hin. Er dachte vor allem über das Orakel nach. Der Fremde gab ihm, abgesehen von der albernen Botschaft, Rätsel auf. War er ein Betrüger oder nicht? Schwer zu sagen. Einerseits hatte er keinerlei Respekt vor der Person des Herrschers gezeigt, ganz im Gegensatz zu den kriecherischen Quacksalbern, die im Palast umherscharwenzelten; auf der anderen Seite hätte er sich nicht mit dem Stock zufriedengegeben, wenn seine Botschaft etwas wert gewesen wäre.

König Horace wußte immer noch nicht, zu welchem Schluß er kommen sollte, als sie sich Upotia näherten.

Die meisten Welten der Galaxis besitzen wie die Erde ein Mischklima. Einige, wie die Venus, leiden unter konstant schlechtem Wetter. Upotia hingegen, der einzige bewohnbare Planet eines Mehrfach-Sonnensystems, kannte dank seiner tiefen Atmosphäre und seiner Achsneigung nur schöne Tage.

»Herrlich!« rief der König, als sie landeten, und atmete tief ein.

»Und ob!« pflichtete Tausch ihm bei. Seine anfängliche Verstocktheit hatte sich längst gelegt. Sobald ihm bewußt wurde, was für eine gute Nummer er gezogen hatte, zeigte er sich von seiner liebenswürdigsten Seite. Dieser Horace war kein übler Bursche, wenn man bedachte, daß er an einer scheußlichen Krankheit litt. Er hatte ihn, Tausch, begnadigt und ermöglichte ihm nun sogar eine Ferienreise. Und er hatte ihm von der Botschaft des Orakels erzählt: »Auf Globadan gewann ich das Shubshub-Rennen.«

»Nun, was ein Shubshub ist, weiß ich«, entgegnete Tausch in einem Tonfall, als wolle er hinzufügen: ›Aber das nützt uns einen feuchten Staub!‹

»Wirklich?« fragte der König erregt. »Ich dachte, das sei irgendein Unsinn.«

»Nun ja, Sie leben recht abgeschieden«, meinte Tausch. Und er verriet dem König, daß Shubshubs äußerst seltene Tiere waren, die wie Straußenvögel mit sechs Beinen aussahen und unheimlich schnell laufen konnten. Woher sie stammten, wußte er allerdings auch nicht.

Der König schöpfte neue Hoffnung. Vielleicht half ihm die Botschaft doch noch.

»Möglich, daß wir auf Upotia etwas mehr erfahren können«, meinte der König.

Aber auf Upotia erfuhren sie rein gar nichts. Die reichen Invaliden, die dort herumlungerten, erwiesen sich als eingebildete Snobs. Als sie merkten, daß der König nicht einmal eine Privatjacht besaß, schnitten sie ihn. So mied Horace die großen Städte und durchstreifte mit Tausch (und den beiden ältlichen Pflegerinnen) das Land in einem Campingwagen.

Sie hatten bereits zwei Wochen lang das milde Klima genossen, als sie die Priesterin Colinette Shawl kennenlernten. Zu diesem Zeitpunkt spürte König Horace ohnehin bereits Langeweile. Tausch besaß wenig Bildung, und sein Lieblingsthema vom sündigen Treiben in den Palastparks rief längst nicht mehr das angenehme Prickeln wie zu Beginn der Reise hervor. So begrüßte der König die Ankunft der Priesterin um so mehr.

»Mein Adjutant«, stellte er Tausch zögernd vor.

»Sehr erfreut«, sagten beide zugleich, und in die Augen von Tausch trat ein begehrliches Leuchten. Auf Colinettes Heimatwelt wählte man nämlich nur solche Mädchen zu Priesterinnen, die es verstanden, Gläubige anzuziehen. Und genau das war Colinettes Mission hier auf Upotia: Sie sollte neue Mitglieder für ihre Sekte werben. Sie begann ihr Bekehrungswerk bei Horace und Tausch, und als die Dunkelheit hereinbrach, schlug sie ihr Zelt neben dem des Königs auf.

Kurz nach Mitternacht zeigten sich die dritte und die vierte Sonne am Himmel — die eine einige Millionen Meilen entfernt und nur als heller Fleck sichtbar, die andere ein rötlich leuchtender Riese, der wie ein Bündel Putzwolle am Horizont entlangtrieb. Es war ein romantischer Anblick.

Ein alter Spruch sagt, daß der Rasen des Nachbarn immer grüner ist als der eigene. Tausch sann darüber nach, als er sich auf seinem harten Lager hin und her wälzte und keinen Schlaf fand.

Schließlich erhob er sich und huschte zum Zelt der Priesterin Colinette.

»Ich bin bekehrt«, wisperte er.

Die Priesterin, die ihre Jünger kannte, kam vorsichtig ins Freie und hielt ihm eine Predigt.

»Außerdem«, schloß sie, »trete ich bereits morgen die Heimreise nach Globadan an.«

»Globadan!« rief Tausch. »Sie kommen von Globadan? Diesen Staubball gibt es tatsächlich? He, Käpten — aufwachen!«

Und er warf König Horace zu dessen großem Mißvergnügen aus dem Bett. Tausch hatte impulsiv und gedankenlos wie immer gehandelt. Aber die Hoffnung, daß der Orakelspruch letzten Endes doch noch etwas bedeuten könne, besänftigte den Zorn des Königs. Er wandte sich an die Priesterin und schilderte ihr die Lage.

»Auf Globadan gewann ich das Shubshub-Rennen«, murmelte sie. »Wenn dieser Satz nicht von einem Shubshub selbst stammt, ist er glatter Unsinn. Es gibt einfach kein Geschöpf in der Galaxis, das schneller als ein Shubshub läuft.«

»Schön, dann ist es eben Unsinn«, meinte Tausch. »Gehen wir schlafen.« Und insgeheim dachte er: *Warum in aller Welt muß ich mich mit diesem Neurotiker abplagen!*

»Geh allein schlafen!« entgegnete der König. »Ich möchte der Priesterin noch ein paar Fragen stellen.«

»Oh, ich warte«, versicherte Tausch diensteifrig. (Er war nicht von gestern.)

». . . und diese Rennen sind ein Brauch auf Globadan?«

Die Priesterin erklärte, daß sie alljährlich abgehalten wurden.

»Nehmen nur Shubshubs daran teil oder auch andere Rassen?«

Merkwürdig, wie sich die Sitten in der gesamten Galaxis gleichen! Nach den Worten der Priesterin gehörte es zur Tradition, ein paar (harmlose) Verbrecher mit an den Start zu lassen und ihnen im Falle eines Sieges die Freiheit in Aussicht zu stellen. Einige nahmen das so ernst, daß sie unterwegs, vom Herzschlag getroffen, zusammenbrachen. Vorkommnisse dieser Art verliehen dem Rennen erst seinen pikanten Reiz.

»Hat je ein Mensch dabei gewonnen?« wollte der König wissen.

»Unmöglich«, erwiderte die Priesterin und fügte ein wenig unlogisch hinzu: »Zumindest nicht in meiner Zeit. Sie müssen bedenken, daß Globadan am Rande der Galaxis liegt und ich seit frühester Jugend auf Missionsreisen unterwegs bin.«

»Aber niemand *kann* ein Shubshub schlagen?« drängte der König.

»*Niemand* kann ein Shubshub schlagen«, bestätigte Colinette.

»Niemand kann ein *Shubshub* schlagen«, murmelte Tausch.

Da hatten sie es. Alle drei kehrten auf ihre jeweiligen Lager zurück. König Horace verbrachte eine unruhige Nacht. Tausch schlief den Schlaf der Unbekümmerten. Die Priesterin Shawl war am nächsten Morgen verschwunden.

Die Krankheit, die immer in der Nähe des Königs lauerte, befiel ihn noch am gleichen Tage. Er lag da, verkrampft und in Schweiß gebadet, während er träumte, daß er in Zeitlupe durch die Wattenebel einer weiten Ebene lief. Die beiden ältlichen Pflegerinnen hatten einen Großkampftag.

Als König Horace wieder bei klarem Bewußtsein war, verlangte er, daß man ihn unverzüglich zum Raumhafen brachte. Er wollte Upotia mit dem nächsten Schiff verlassen. So kam es, daß er sich bei der Heimreise in einer schlechteren Verfassung befand als bei seiner Ankunft.

Tausch, der Abscheu vor Krankheiten jeglicher Art empfand, blieb in seiner Kabine und mied den König. Am zweiten Tag jedoch scheuchte ihn Horace aus seiner Zurückgezogenheit.

»Ich bin bei unserem Problem wieder einen Schritt weiter gelangt!« rief er.

»Bei *unserem* Problem?« erkundigte sich Tausch.

»Paß gut auf! Idiotisch, daß ich nicht früher dahinterkam! Die Priesterin Shawl erwähnte es — und der Kapitän hat es mir eben bestätigt . . .«

Er bekam keine Luft mehr und plumpste auf das Bett von Tausch. Mit zitternder Hand strich er sich über die Stirn. Dann erklärte er umständlich, was er herausgefunden hatte: Nach Colinettes Worten befand sich Globadan am Rande der Galaxis. Nun war allgemein bekannt, daß sich Raum und Zeit an den Grenzen des Kontinuums ausdehnten — ein Phänomen, dem Wissenschaftler lange vor Anbruch der Raumfahrt-Ära den Namen Doppler-Effekt gegeben hatten.

Wenn man also zum Rand der Galaxis vorstieß, verlangsamte sich der Stoffwechsel und der gesamte Lebensrhythmus. Natürlich merkte man davon nichts. Nur Instrumente konnten die Veränderung wahrnehmen.

»Und?« fragte Tausch.

Der König entgegnete mit einem Seufzer der Herablassung: »Begreifst du immer noch nicht? Wenn es mir irgendwie gelänge, Globadan zu erreichen, ohne meinen Lebensrhythmus zu ändern, dann wäre ich in allen Dingen schneller als die Bewohner dieser Welt. *Ich wäre vielleicht sogar schnell genug, um das Shubshub-Rennen zu gewinnen!*«

»Wenn! Wenn Sie einen guten Kühlanzug hätten, könnten Sie auf der Sonne spazierengehen!«

König Horace verließ gekränkt die Kabine von Tausch — und lief geradewegs in die knochigen Arme der beiden ältlichen Pflegerinnen, die ihn wieder ins Bett steckten. Er preßte die Lippen zusammen und schwor sich insgeheim, den Orakelspruch zu enträtseln; denn je verwirrender die Worte klangen, desto fester glaubte er an ihre Heilkraft.

»Auf Globadan gewann ich das Shubshub-Rennen«, murmelte König Horace. »Auf Globadan ... zzzzz.« Er fiel in einen leichten Schlummer und schrak wieder hoch. »... gewann ich ... *ich?* Moment! Wie konnte mein Orakel das Shubshub-Rennen gewinnen? Der Kerl sah so schwerfällig aus, daß ich ihm nicht einmal einen Sieg über eine Schildkröte zutraue.«

Dieser neue Aspekt erregte ihn so sehr, daß er in seinen Morgenmantel schlüpfte und die Kabine verließ. Nachdenklich wanderte er auf dem engen Promenadedeck hin und her. Mögen sich die Raumschiffe inzwischen noch so sehr geändert haben — die Passagiere sind die gleichen geblieben. König Horace fing giftige Blicke von den elegant gekleideten Damen auf, und die Herren hüstelten, wenn sie an ihm vorübergingen.

›Hah! Ihr könnt mich alle!‹ dachte er, doch als er unter den geschniegelten Gestalten den ältesten Sohn eines benachbarten Herrschers bemerkte, beschloß er, sich an einen Ort zurückzuziehen, wo er weniger unangenehm auffiel. Er wählte das Touristendeck.

Als er aus dem Lift trat, sah er einen Moment lang eine plumpe, fremdartig gekleidete Gestalt. War das — war es möglich, daß ...?

Die Gestalt verschwand in Kabine 12.

»Ich muß hier saubermachen!«

Mechanisch trat er zur Seite, um den Putz-Roboter durchzulassen, und stellte sich in eine Nische, von der aus er Kabine 12 beobachten konnte. Er war sicher, daß er eben das Orakel entdeckt hatte. Auf dem Korridor wimmelte es von Passagieren, aber sie achteten kaum auf den König.

Eine Stunde später, als sich Horace vom langen Stehen schon ganz elend fühlte, tauchte der Fremde aus Kabine 12 wieder auf und stapfte schwerfällig davon. Die Ähnlichkeit mit dem Orakel war verblüffend. Allerdings mußte der König zugeben, daß er keine Sekunde lang das Gesicht seines Gesprächspartners gesehen hatte. Mit Herzklopfen eilte er zu Kabine 12 und drückte die Klinke nieder. Die Tür war nicht versperrt. Er nahm seinen ganzen Mut zusammen und huschte hinein.

Horace blieb verblüfft stehen, als er die spartanische Einrichtung sah. Gewiß, die meisten Rassen hatten ihre eigenen Begriffe von Bequemlichkeit, aber dieser Raum war geradezu nackt. Wände, Boden und Decke bestanden aus blankem Metall. Nicht einmal eine Matratze lag auf dem Bett.

Er zuckte die Achseln. Der Geschmack des Fremden konnte ihm gleichgültig sein. Ihm ging es nur um den Stock. Wenn er ihn hier fand, hatte er den Beweis, daß der Fremde sein Orakel war. Er begann fieberhaft zu suchen und kehrte dabei das Unterste zuoberst. Der Stock war gar nicht versteckt. Er lag groß und breit in einem der Schrankfächer. Horace nahm ihn mit zitternden Fingern an sich.

Genau in diesem Moment spürte er den Lauf eines Strahlers im Rücken.

»Gah!« machte er.

»Drehen Sie sich ganz langsam um!« befahl eine Stimme, die ihm durch Mark und Bein ging.

Der König drehte sich ganz langsam um, die Hände über dem Kopf erhoben. Er stand einem bulligen Schiffspolizisten gegenüber. Die Miene des Mannes verhieß nichts Gutes.

»Sie sind mir schon im Korridor so verdächtig vorgekommen«, knurrte der Gesetzeshüter. »Los jetzt — ich bringe Sie nach unten, zu den Arrestzellen!«

»Aber — ich bin König Able Harkon Horace.«

»Ach, wirklich? — Und ich bin Schneewittchen. Beeilen Sie sich, sonst geht meine Kanone los!« Um seinem Befehl Nachdruck zu verleihen, bohrte er Horace den Lauf in die Nieren und schubste ihn aus der Kabine.

»Wenn Sie mir nicht glauben, so fragen Sie meine beiden Pflegerinnen und . . .«

»Jetzt pflege ich Sie, mein Bester, und zwar gründlich. Vorwärts, marsch!«

Die Eingeweide eines Raumschiffs — stickig, lärmerfüllt, bedrückend. Und am bedrückendsten die Arrestzellen, die sich dicht neben dem Mülldepot und der Kläranlage befanden. König Horace wurde trotz seines heftigen Protestes in eine der engen Kammern gestoßen. Aber als die Gittertür zuschnappte, klickte etwas in seinem Gehirn, und er war mit einemmal ganz ruhig.

Er kannte das Geheimnis des Orakels.

Der Satz ›Auf Globadan gewann ich das Shubshub-Rennen‹ barg kein Rätsel mehr. Aber nun konnte er nichts damit anfangen. Ihm waren im wahrsten Sinn des Wortes die Hände gebunden.

Ein paar Stunden lang ruhte er auf der schmalen Pritsche aus. Er ertrug die Hitze und den Lärm. Dann erschien ein Wachtposten und eskortierte ihn zu einem grauen Büro, wo ein Sergeant das Protokoll aufnahm. Der Mann schrieb ohne Kommentar seinen Namen nieder, dazu die Personalien von Tausch und den beiden ältlichen Pflegerinnen.

»Schön«, meinte der Sergeant schließlich. »Das heißt — für Sie nicht ganz so schön. Man hat einen schweren Vorwurf gegen Sie erhoben.«

»Wer?«

»Klaeber Ap-Eye, der Gast von Kabine 12.«

»Ich schwöre Ihnen, ich hatte nie die Absicht, den Stock zu stehlen. Ich wollte mich nur vergewissern, daß er in der Kabine war.«

Klingt glaubhaft. Äußerst glaubhaft. Aber nehmen Sie seine Aussage ruhig zu Protokoll, Korporal Binnith!«

Wieder in seiner Zelle angelangt, gab sich der König düsteren Betrachtungen hin. Die Schmach, die er erleiden mußte, bedrückte ihn noch mehr als die physische Belastung ... Natürlich zweifelte er keinen Augenblick am Ausgang dieser albernen Geschichte. Sobald Tausch von seiner mißlichen Lage erfuhr, würde er das Nötige in die Wege leiten.

Und dann erhielt König Horace Besuch vom Schiffsanwalt. Rechtsanwalt Lymune war ein *Quart*; sein Kopf saß auf einem Kugelgelenk und war mit fünf Augen sowie zwei Mündern ausgestattet — letzteres ein entscheidender Vorteil in seinem Beruf, denn er konnte gleichzeitig mit dem Richter und dem Klienten sprechen. Der Anwalt machte König Horace rasch klar, daß seine Lage nicht allzu rosig war. Tausch und die beiden ältlichen Pflegerinnen leugneten, daß er aus dem königlichen Hause Harkon stammte.

»Verrat!« keuchte der König. »Aber damit kommen sie nicht weit — ich habe meine Papiere im Tresor der Kabine.«

»Ich war bereits in Ihrer Kabine.« Lymune sprach mit beiden Mündern, um die Wichtigkeit seiner Worte zu unterstreichen. »Obwohl ich sie gründlich durchsuchte, fand ich nirgends einen Ausweis.«

»Der Kapitän!« rief Horace verzweifelt. »Er kann nicht bestochen sein. Ich habe mit ihm gesprochen. Wenn er meine Identität bestätigt ...«

»Er bestätigt vielleicht, daß Sie der Mann sind, der sich als König Horace ausgab. Darüber hinaus hat er kaum eine Möglichkeit ...«

»Sind Sie gekommen, um mich zu verteidigen oder anzugreifen?« empörte sich König Horace. »Ich lasse Sie mit den anderen hinrichten!«

»Typischer Fall von Größenwahn«, murmelte der Anwalt. »Am besten plädiere ich auf Unzurechnungsfähigkeit.«

Nach diesem unbefriedigenden Gespräch verfiel der König erneut in Meditationen. Die Zeit kroch dahin und drohte stillzustehen. Mit einem Stöhnen preßte er beide Hände an die Brust. Nun erst erkannte er, wie sinnlos es gewesen war, sich gegen die Umgebung abzuschirmen. Irgendwann im Leben sind die äußeren Einflüsse stärker als wir. Die Erbsünde haftet uns allen an . . .

Bis jetzt hatte er sich als einsamen Dulder betrachtet, der aufgrund seiner königlichen Herkunft weit über der Masse stand. Eine Illusion, mehr nicht. Man zweifelte seine Herkunft an und mutete ihm trotz seiner Krankheit ein Verfahren wegen Diebstahls zu.

Was Tausch bewogen haben mochte, sich gegen ihn zu wenden, wußte er nicht. Und da er kein Motiv fand, stellte er Betrachtungen über die menschliche Niedertracht im allgemeinen an.

Seine Melancholie wurde jäh unterbrochen, als die Wachtposten einen Besucher in seine Zelle schoben. König Horace blinzelte verwirrt in das Halbdunkel, als er die schwerfällige Gestalt erkannte.

»Das Orakel!« flüsterte er und setzte sich auf.

»Ja, ich bin es — Klaeber Ap-Eye. Unser Wiedersehen findet unter merkwürdigen Umständen statt, nicht wahr?«

»Hören Sie, ich hatte nichts Böses vor, als ich Ihre Kabine durchwühlte. Ich suchte lediglich nach einem Beweis für meine Vermutung, daß Sie das Orakel waren. Sie müssen mir hier heraushelfen!«

»Darüber wollte ich mich mit Ihnen unterhalten.« Der Fremde kauerte sich auf den Boden. »Sie befinden sich in einer scheußlichen Klemme, mein Freund. Deshalb wäre es gut, wenn Sie mir genau zuhörten.«

Der König nickte müde. Er wußte zwar mehr, als ihm das Orakel zugestand, aber das verriet er mit keiner Silbe. Ein Trumpf im Ärmel konnte nicht schaden.

Ap-Eye erklärte ruhig, daß ihr gemeinsamer Flug an Bord der *Potent* ein Zufall sei. Er habe nichts von der Reise des Königs nach Upotia gewußt, sondern angenommen, er werde sich sofort nach Globadan begeben. Inzwischen sei er (Ap-Eye) in anderen Geschäften unterwegs gewesen. Er habe gehofft, bei seiner Rückkehr auf die Erde ein gewisses Königreich ohne Herrscher vorzufinden.

»Weshalb?« fragte König Horace.

Ap-Eye breitete die klobigen Hände aus. »Ich habe meine eigene Vorstellung über die Person des Königs . . .«

»Ah? Nun verstehe ich erst! Sie sind ein ganz gewöhnlicher Thronräuber. Und ich Narr machte mir Hoffnungen.« Er vergrub erschüttert das Gesicht in den Händen.

Der andere berührte seine Schulter. »Ganz so einfach liegen die Dinge nicht. *Ich* bin kein Thronräuber — eher die Hand, die der Gerechtigkeit zum Sieg verhilft. Ich versuche auf meine Weise, ein altes Unrecht gutzumachen.«

»Tun Sie lieber etwas gegen das neue Unrecht, das hier geschieht!«

»Sie hätten sich ohne Umwege nach Globadan begeben sollen. Mir blieb keine andere Wahl, mein Freund, als diese Chance zu ergreifen. Hier unten sind Sie am sichersten aufgehoben.«

Mit letzter Kraft richtete sich der König auf. Er sah den Fremden vernichtend an.

»Dann werde ich Sie zwingen, mir zu helfen. Ich habe Ihre Maske durchschaut. Sie sind ein Pseudomensch.«

Einen Moment lang hielt Ap-Eye den Atem an. Dann erhob er sich ebenfalls. »Na und, mein Freund?« entgegnete er ruhig.

»Angenommen, ich rufe den Wachtposten und sage ihm die Wahrheit? Er würde Sie durch die nächste Luftschleuse in den Raum hinausstoßen.«

»Weil die Menschheit meinesgleichen mit mehr Fähigkeiten ausgestattet hat als sie selbst besitzt — und dann Angst vor ihrem Werk bekam«, meinte Ap-Eye bitter. »Ihr habt nie aufgehört, dieses Experiment zu bereuen. Es war zu erfolgreich, nicht wahr?«

»Wir ließen Milde walten und brachten euch nach Alpha Centauri II, anstatt euch auszurotten.«

»Ich kann den Namen dieser öden Welt nicht hören!«

»Sie leugnen gar nicht, Ap-Eye. Soll ich den Wachtposten rufen?«

Der andere erwiderte den Blick des Königs ohne Scheu; nach einer Weile lachte er leise.

»Wäre es nicht besser, wenn wir uns einigten, mein Freund?« fragte er. »Ich besuche Sie morgen noch einmal.«

»Nein, bleiben Sie! Wir bringen die Angelegenheit hier und jetzt in Ordnung. Sagen Sie dem Posten, wer ich bin, oder ich verrate ihm Ihr Geheimnis!«

Ap-Eye schüttelte bedauernd den Kopf. »Die Dinge liegen viel komplizierter, als Sie glauben, mein Freund. Aber ich komme morgen wieder.«

»Woher weiß ich, daß Sie Wort halten werden« Noch während der König diese Frage stellte, traf ihn der Blick seines Gegenübers mit voller Macht. In den riesigen Augen spiegelte sich Härte und Gnadenlosigkeit, aber noch etwas anderes. Gerechtigkeit vielleicht.

»Sie kommen morgen wieder«, gab er sich selbst die Antwort.

Ap-Eye nickte gleichmütig und winkte den Wachtposten herbei. »Was hat Sie übrigens auf meine Spur gelenkt?« fragte er.

»Einmal die Kabine — sie war so nüchtern und leer, daß es kein Mensch darin ausgehalten hätte.«

»Ich muß besser aufpassen«, meinte Ap-Eye.

»Und dann kam mir der Gedanke, daß nur ein Pseudomensch das objektive Bewußtsein eines Instruments besitzt. Sein Raum- und Zeitempfinden bleibt unverändert, ganz gleich, an welchem Punkt der Galaxis er sich befindet. So könnte er ohne weiteres ein Shubshub-Rennen gewinnen . . .«

Die *Potent* jagte durch die ewige interstellare Nacht. In ihrem winzigen Rumpf erlebten an die hundert Passagiere den simulierten Wechsel zwischen Tag und Nacht, und als ihre Uhren anzeigten, daß der nächste Vormittag angebrochen war, erschien Ap-Eye bei König Horace.

Vorher war jedoch bereits Rechtsanwalt Lymune aufgetaucht und hatte gutgelaunt verkündet, daß drei Stunden später die Verhandlung stattfinden würde. Der König weigerte sich, Unzurechnungsfähigkeit vorzutäuschen, und entließ den Mann. Er konnte sich selbst verteidigen; schließlich war das Recht auf seiner Seite.

Ap-Eye war bei seiner Ankunft kurz angebunden und sehr sachlich.

»Es ist alles geregelt, mein Freund«, sagte er. »Wenn Sie dieses Dokument unterzeichnen, *bringt Sie mein Psi-Bewußtsein nach Globadan.* So war es zwar nicht geplant, aber das läßt sich nicht mehr ändern. Sie wissen, was ich meine?«

König Horace nickte ernst. Man hatte die Pseudomenschen ohne die Alluvialschicht — auch Unterbewußtsein genannt — geschaffen. Statt dessen besaßen sie ein zweites Gehirn, das die Persönlichkeit eines Menschen vollkommen in sich aufnehmen konnte.

»Ich weiß, daß Sie über ungewöhnliche Kräfte verfügen«, meinte Horace demütig.

»Dennoch gibt es Dinge, um die wir den Menschen beneiden.«

Der König sah ihn fragend an, und Ap-Eye flüsterte ihm etwas ins Ohr. Horace lächelte schwach; er meinte, daß für diesen Sektor menschlicher Aktivität eher Tausch zuständig sei.

»Ach ja, Tausch«, sagte der Pseudomensch abrupt. »Ich möchte, daß Sie dies hier für ihn unterzeichnen.« Er schob dem König das Dokument zu, das er mitgebracht hatte. Horace überflog es mit zusammengekniffenen Augen.

Es besagte in verschnörkelter Sprache, daß König Able Harkon Horace für sich, sowie seine Erben und Rechtsnachfolger auf den Landesthron verzichte — zugunsten eines gewissen Tausch . . .

»Tausch steckt also hinter der Sache!« fuhr der König auf.

»Aber nein — Tausch tut, was ich ihm befehle. Und nun unterschreiben Sie rasch!«

»Ich kann nicht . . .«

Eine Hand umklammerte seinen Ellbogen, und Ap-Eye flüsterte ihm mit rauher Stimme eindringlich zu: »Unterschreiben Sie, mein kranker Freund, unterschreiben Sie, damit wir endlich aufbrechen können!«

Hypnose?

»Ich kann nicht . . .«, begann der König wieder, doch dann holte er sein Schreibzeug hervor und unterzeichnete mit geübtem Schwung. Im nächsten Augenblick lag er auf der schmalen Pritsche, und Ap-Eye beugte sich über ihn.

»Kommen Sie, mein Freund, Sie sollen geheilt werden! Vergessen Sie Ihre Krankheit! Sehen Sie mich an . . .«

Die Augen, diese gerechten Augen, schienen mit einem Mal intensiver zu strahlen. Unter ihrem Einfluß schrumpfte König Horace zu einem Nichts zusammen.

Ein Augenblick des Schmerzes, dann verschmolz der König mit dem neuen Gehirn. Sein Bewußtsein war von einem Körper in einen anderen gewandert.

Ap-Eye erhob sich langsam. Die Hülle des Königs lag auf der Pritsche. »Sie bleiben in Trance, bis ich Sie sicher zurückbringe. Die Funktionen des Körpers als solcher werden durch den Verstand nur behindert.«

»Ich habe Angst.«

»Weshalb? Weil Sie zufällig meinen Mund zum Essen und zum Sprechen benutzen? Sie können sich nichts Besseres wünschen. Der Körper eines Pseudomenschen ist unsterblich. Und nun bringen wir Tausch das Dokument. Schlaf, mein kleiner Prinz . . .«

Es bestand kein Kontakt zwischen ihnen; zumindest ließ Ap-Eye keinen zu. Horace war gezwungen, alles zu tun, was ihm der Pseudomensch befahl. Er besaß kein eigenes Ich mehr. Aber der gesunde neue Körper glich das wieder aus — auch wenn Horace längst erkannt hatte, daß seine Krankheit nicht organischer Natur war.

Er erlebte hilflos mit, wie das Raumschiff auf der Erde landete. Seine ehemalige Hülle (man hatte die Verhandlung angesichts der rätselhaften ›Krankheit‹ abgesetzt; Tausch nahm den lebenden Leichnam in seine Obhut) wurde in den Palast gebracht. Ap-Eye erhielt Geld aus der königlichen Schatzkammer, und Tausch begann eine längere Debatte mit den Höflingen. Die beiden ältlichen Pflegerinnen machten sich aus dem Staub und heirateten die beiden ältlichen Stewards, die sie an Bord der *Potent* kennengelernt hatten.

Kurz danach begann die Reise nach Globodan.

Sie war lang, aber alles andere als eintönig. Allmählich, als sie Lichtjahr um Lichtjahr zurücklegten, machte sich der Doppler-Effekt bemerkbar. Die Menschen um Ap-Eye bewegten sich wie in Zeitlupe. Füße schleiften über den Boden, der Augenaufschlag eines Mädchens dauerte Stunden. Ap-Eye verlangsamte bewußt den Rhythmus seines Körpers, paßte ihn der Umgebung an, während sein Gehirn so rasch wie zuvor funktionierte.

So erreichten Sie Globadan.

Er stand mit einem anderen Gefangenen am Start. Das hatte weiter keine Schwierigkeiten bereitet. Die Bewohner von Globadan waren ein primitives Volk mit harten Gesetzen; das Klirren einer Fensterscheibe im Dunkel, und schon hatte man ihn gepackt und abgeführt.

Der Startplatz befand sich an der Haupttribüne. Banner flatterten, Musikinstrumente blitzten, und in seinen Ohren — in Ap-Eyes Ohren — dröhnte der Festlärm. Die Menge selbst hatte sich zur Feier des Tages in bunten Federschmuck gehüllt; sie erinnerte an einen Vogelschwarm.

Dicht neben Horace warteten die Shubshubs, noch angepflockt. Sie stampfen unruhig.

Die Startfanfare klang auf. Vor ihnen lag eine drei Meilen lange Ebene. Sie rasten los.

Aber es war ein Rennen am Rande der Galaxis, und die

Shubshubs hatten sich dem langsameren Zeitfluß angepaßt. Für Ap-Eyes unverändertes Bewußtsein krochen sie dahin.

Horace rannte. Die Bahn war sandhell.

Die Shubshubs folgten weit hinter ihm. Die gelbe Sonne strahlte, die Zeit stockte ...

... wie sie schon einmal gestockt hatte, vor mehr als dreißig Jahren.

Jemand hatte die Uhr am großen Turm des Palastes angehalten, um die Rückkehr des Königs und der Königin vom Strand zu verzögern. Der junge Gardist, der dieses Wagnis auf sich genommen hatte, eilte in das Schlafgemach des kleinen Prinzen.

Dort wartete die Frau des Palastgärtners, jung, schön und ängstlich. Sie trug ihr Kind auf dem Arm. Das Kind war er selbst — Horace. Sie schaute lächelnd zu dem Gardisten auf.

»Rasch!« rief er. »Wir müssen fort von hier.«

Sie eilte zu der Wiege mit der goldenen Krone und zog den Vorhang zurück. In den Kissen schlief der kleine Prinz. Er hatte eine verblüffende Ähnlichkeit mit ihrem Sohn.

»Rasch!« drängte der Gardist.

Vorsichtig hob sie das Königskind hoch und legte ihr Baby in das Bettchen. Ihre Augen füllten sich mit Tränen, als der Kleine sie ansah.

»Deine Mutter ist eine böse, böse Frau«, wisperte sie. »Sie geht mit einem fremden Mann weit weg von hier. Aber sie hat zumindest für dich gesorgt. Schlaf jetzt, mein kleiner Liebling! Wenn du aufwachst, bist du ein Prinz.«

»Rasch!« sagte der Gardist noch einmal. »Die Zeit läuft uns davon, Anne!«

Sie drückte ihm den Prinzen in die Arme. »Bring ihn zu deiner Tante aufs Land, wie wir es vereinbart hatten. Sag ihr, sie soll ihn Tausch nennen.«

»Und du kommst heute abend zum Hafen, Anne?«

Sie schlug kokett die Augen auf. »Mach kein so ängstliches Gesicht!«

»Du kommst doch, mein Herz?«

»Bereite alles vor!«

»Totales Erinnerungsvermögen!« hörte er Ap-Eyes Stimme in seinem Ohr.

Horace kehrte aus der Weite des Raums zurück, aus der Weite einer Lebenserinnerung. Die gelbe Sonne, die staubige Ebene, die weit zurückliegenden Shubshubs, die bunte Menge — alles rückte wieder an seinen Platz. Er sah das Ziel dicht vor sich.

»Der Ärmste«, sagte Ap-Eye. »Er bereitete alles vor, aber sie kam nicht. Sie war in Wirklichkeit auf einen häßlichen Zwerg hereingefallen, der ihr die Sterne versprach.«

»Etwa...?«

»Ja, ich. Wir verbrachten unsere Flitterwochen hier auf Globadan. Als ich Narr ihr gestand, daß ich ein Pseudomensch sei, trank sie Gift ... Meine Liebe hatte mich blind dafür gemacht, daß sie viel Stolz besaß ... Ah, das ist lange her. Ich habe nun die Folgen meiner Torheit so weit wie möglich wiedergutgemacht. Das Leben ist nicht vollkommen, mein Freund. Wie fühlen Sie sich?«

Er konnte nicht antworten. Er wußte, daß er endlich frei war, und dieses Wissen schnürte ihm die Kehle zu. Ein paar Meter noch — sie hatten einen weiten Vorsprung.

»Wie fühlen Sie sich?« fragte Ap-Eye noch einmal. »Freuen Sie sich auf Ihren eigenen Körper?«

»Ja«, stieß Horace hervor. »Ja, mein Freund!« Und im gleichen Moment bemerkte er die Priesterin Colinette in der Menge.

Triumphierend jagten sie ins Ziel.

POLIZEIBERICHT

Ich schreibe die Geschichte nieder, rasch, bevor es zu spät ist. Wo fange ich nur an? Ach ja, die alte Grammofonaufnahme und der Smoof. Schlagen Sie nicht im Lexikon nach, das Wort — ich wiederhole es: *Smoof* — ist neu. Noch vor zwei Tagen — übrigens, ich heiße Curly Kelledew. Ich muß versuchen, beim Thema zu bleiben.

Kennen Sie Cambridge oder gar die Curry Passage? Dort gibt es, dicht nebeneinander, drei Trödler, die sich ziemlich großspurig Antiquitätenhändler nennen. An jenem besonderen Nachmittag machte ich in einem der Läden ganz zufällig einen Fund. Ich hatte nach einem Geschenk für meinen Neffen gesucht und eine chinesische Dschunke mit hohem Bug und echtem Lateinsegel erstanden, dazu eine Porzellanschäferin aus dem achtzehnten Jahrhundert, die ich mir selbst gönnen wollte. Eben als ich mich zum Gehen wandte, entdeckte ich hinter einer Truhe den Plattenstapel.

Ich stellte die Dschunke und das Porzellanmädchen noch einmal ab und begann in dem Stoß zu wühlen. Das Angebot war bunt gemischt, zumeist Sachen, welche die Studenten gegen Ende des Trimesters aus Geldmangel verhökert hatten. Jazz — Louis Armstrong, für Leute, die ihn mögen; ein verkratzter Strawinski; und — mir stockte der Atem — Borodins Zweite, dirigiert von Coates, eine Aufnahme, die in keinem Katalog mehr zu finden war. Sie steckte in einem nagelneuen Album. Ich warf einen Blick auf die erste Seite. Sie sah aus, als sei sie noch nie gespielt worden. Im Laden gab es keine Möglichkeit, sie anzuhören, aber der Preis war bescheiden, und so nahm ich sie mit.

Soviel zur Vorgeschichte. Am Nachmittag darauf, es war Sonntag, kam wie gewöhnlich Harry Crossway auf einen Sprung vorbei. Harry ist das, was man einen echten Freund nennt — ein Mann, mit dem man die Woche über zusammen-arbeitet und der einem sonntags dennoch nicht auf die Nerven fällt. Wir mixten uns einige Drinks, und Harry bewunderte ausgiebig die Rundungen unter dem Porzellanmieder meiner Schäferin. Dann holte ich den Borodin hervor. Der erste Satz klang großartig, doch als ich die zweite Platte aus der Hülle nahm, merkte ich sofort, daß etwas nicht stimmte. Die roten Aufkleber in der Mitte trugen zwar die richtige Bezeichnung, aber als ich sie berührte, ließen sie sich ohne weiteres ablösen.

Vor uns lag ein bräunlich getöntes Ding, doppelt so dick wie eine normale Platte und nur auf einer Seite mit Rillen — äußerst seltsamen Rillen — versehen. Natürlich hätte mir das schon im Laden auffallen müssen, aber in meiner Begeisterung hatte ich nur einen flüchtigen Blick auf das Etikett geworfen. Ich war hereingefallen, ganz eindeutig.

Ich machte meinem Ärger gehörig Luft, während Harry die Platte interessiert von allen Seiten betrachtete. Schließlich meinte er: »Könnten wir das Ding einmal auflegen, Curly?«

Harry und ich arbeiteten als Versuchsingenieure für die größte Radiofirma von Cambridge. Ich erwähne das nur, da-mit Sie verstehen, weshalb eine Wand meines Wohnzimmers mit Verstärkern, Lautsprechern und ähnlichem vollgepropft war und mein Schreibtisch einem elektronischen Ersatzteilela-ger glich. Meine Rundfunkgeräte sind Eigenbau und besitzen einige Vorteile gegenüber den bekannten Markenartikeln. Dennoch gelang es uns nicht, der geheimnisvollen Platte auch nur einen Ton zu entlocken. Zum einen hatte die Scheibe in der Mitte eine sternförmige Öffnung, die nicht so recht zum Aufsteckdorn meines Plattentellers paßte; zum anderen wech-selten sich immer eine schmale und eine breite Rille ab, und der Saphir fand in der breiten Rille keinen Halt. Wir gaben auf und spielten statt dessen ›Bilder einer Ausstellung‹.

Später, als Harry fort war, nahm ich meine seltsame Erwer-bung noch einmal in die Hand und untersuchte sie genauer. Auf der glatten Seite befand sich, kaum sichtbar, ein Deckel.

Er sprang auf, als ich mit dem Fingernagel die Fuge entlangfuhr. Darunter kam eine Schrift zum Vorschein.

VIDEOAKTE B/1191214/AAA

INTERPLANETARISCH

Kat.: Ganymed-Eros-Erde-Venus
Verbr.: Sabotage, Zeitverschiebung, Mord
Typ: Venusisch-humanoides Experiment: Smoof
Name: Oben angeführter Typ nur unter Smoof bekannt.

Reg.: —/viii/14/305
Bez.: 2/xii/12/309

Ich überflog den Text noch einmal. Und dann noch einmal. Als ich einen Blick in den Spiegel warf, starrte mich mein Gegenüber ziemlich idiotisch an. »Was ist ein Smoof?« fragte ich den Idioten.

»Ein venusisch-humanoides Experiment«, entgegnete er.

Sollte die Platte ein Scherzartikel sein? Aber was bedeutete Video-Akte? Und was tat eine Video-Akte in meinem Wohnzimmer? Ich legte sie noch einmal auf den Plattenteller und schaltete ein. Vorsichtig schob ich den Tonarm über die breite Rille hinweg. Es klappte. Der Saphir blieb in der dünnen Spur.

Ein schrilles Schnattern klang auf, begleitet von einem nervtötenden Kratzen. Ich schaltete sofort wieder aus. Dann kam mir der Gedanke, daß achtundsiebzig Umdrehungen vielleicht zu schnell waren, und ich stellte auf normale LP-Geschwindigkeit um. Das schrille Schnattern war jetzt als Stimme zu erkennen; aber das scheußliche Kratzgeräusch ließ sich nicht abstellen. Wahrscheinlich übersprang der Saphir manche Rillen. Irgendwo hatte ich noch eine feinere Nadel auf einem besonders leichten Tonkopf. Ich durchwühlte aufgeregt drei Schubladen, bis ich sie endlich ans Licht zerrte. Atemlos versuchte ich es von neuem.

Es funktionierte. Ich erkannte rasch, daß die Platte nur die

Tonspur für eine Art Film war. Und ich erkannte, daß es sich keineswegs um einen Scherz handelte. Der Bericht gab Aufschluß über eine verwirrende Zukunftswelt. Was ich über die Smoofs erfuhr, ließ mir die Haare zu Berge stehen.

Am nächsten Tag schmuggelte ich die Platte heimlich in unser Prüflabor und betrachtete sie unter dem Durchstrahlmikroskop.

Anfangs sagte mir der innere Aufbau wenig. Ein Neandertaler hätte mit dem Mechanismus einer Taschenuhr vermutlich auch nicht viel anzufangen gewußt. Aber je länger ich mich damit befaßte, desto mehr kam ich zu der Überzeugung, daß die Platte eine Art Fernsehempfänger war. Die horizontalen und vertikalen Ablenksysteme ließen sich beispielsweise deutlich erkennen. Sie wirkten verbessert, aber das Prinzip hatte sich nicht geändert.

Unsere ›glatte Rille‹ erwies sich als eine Spirale aus rechteckigen Plättchen, die aus einer zähen, aber unwahrscheinlich dünnen Glasschicht bestanden. Und dann kam mir ein Gedanke. Ich schloß mich einen Tag lang in meiner Wohnung ein. Oh, eines sollte ich vielleicht noch erwähnen. Aus reiner Neugier gab ich bei der Lokalzeitung eine Annonce auf: ›Smoof, sei nicht doof! Bitte melden unter . . .‹ Und ich fügte meine volle Adresse an. Ein Witzbold bis zum bitteren Ende — so bin ich nun mal.

Anfangs überwog noch meine Skepsis. Aber nachdem ich einen Tag und eine Nacht durchgearbeitet hatte, war sie verflogen. Ich hatte Angst. Mit zitternden Fingern wählte ich Harrys Nummer. Er hielt sich noch im Labor auf, aber meine Stimme erschreckte ihn wohl, denn er versprach, sofort zu kommen. Ich nahm inzwischen einen Beruhigungsschluck.

Kurz danach sperrte Harry die Haustür auf. Er drückte mir einen Zettel in die Hand, als er das Wohnzimmer betrat. »Das war in deinem Brieffach.« Dann ging er mit schnellen Schritten an meinen Arbeitsplatz und beugte sich über den Versuchsaufbau. »Hast du mich deshalb angerufen?«

»Ja«, sagte ich.

»Hah! Deine Stimme klang so aufgeregt, daß ich meinen Revolver mitnahm — für alle Fälle.«

»Vielleicht brauchen wir ihn noch«, entgegnete ich benommen. Ich hatte den Zettel überflogen. Er enthielt eine Antwort auf meine Annonce: *Komme um neun Uhr. Keine Fallen stellen! Smoof.*

»Mein Gott!« flüsterte ich. Es war zehn nach acht. Draußen flammten die Straßenlaternen auf.

»Was soll die Geheimnistuerei?« fragte Harry ungeduldig. Ich hielt es für das Beste, ihm alles zu erzählen.

Vor der Musiktruhe war eine große Kathodenstrahlröhre aufgebaut. Sie stand in Verbindung mit einem zurechtgebastelten Zwischenbild-Orthikon, das von einem primitiven Uhrwerk langsam aufs Zentrum der Platte zugeführt wurde — und zwar entlang der glatten Rille.

»Damit spiele ich dir jetzt die Aufnahme vor, Harry.«

»Du hast es tatsächlich geschafft, das Ding in Gang zu setzen?«

»Ja. Es handelt sich um eine Polizei-Akte aus der Zukunft.« Ich machte eine Pause, aber Harry sagte nichts.

»Wann genau sich das alles abspielt, weiß ich auch nicht. Jedenfalls in einer Epoche mit hochentwickelter Technik und verkümmerter Menschlichkeit. Genau das, was unsere Pessimisten prophezeien. Leider bleiben viele Dinge unklar, weil sich das Prinzip dieser Video-Platte mit unseren Mitteln nicht hundertprozentig kopieren läßt.«

Harry starrte aus dem Fenster. »Eine Fernsehaufzeichnung aus der Zukunft«, flüsterte er. »Merkwürdig.«

»Sie stammt von einer merkwürdigen Zivilisation«, entgegnete ich.

»Schalt ein!«

Der Film begann mit einer Außenaufnahme des Planetoiden Eros, der in eine Raumstation umgewandelt worden war. Man hatte ihn in eine neue Bahn gelenkt, die das Sol-System von

Jupiter bis Merkur durchquerte. Er diente der Raumpolizei als Stützpunkt. Und was für ein Stützpunkt das war! Trostlos und irgendwie halbfertig — mir lief es kalt über den Rücken.

Das Bild wechselte. Wir sahen das Innere der Eros-Station. Schmutz, Wände, von denen die Farbe abblätterte, und ein Mann mit gebrochenem Nasenbein, der vor einer langen Reihe Instrumenten saß. »Vernichtet den Übeltäter!« sagte er, nachdem ihn ein Sprecher als Raumpolizist Hagger vorgestellt hatte. Er bearbeitete die Smoof-Akte seit . . .

Schmuddelige Schuppen, in denen ich erst jetzt Wohnbaracken erkannte. Diesmal verstand ich auch einen Namen. Bristol — Brissl ausgesprochen. Vielleicht war auch Brüssel damit gemeint. Es handelte sich um primitive Bauten am Rande einer Wüste. Die Wüste diente den interplanetarischen Raketen als Landeplatz. Wir sahen eine hereinkommen — und inmitten der Baracken niedergehen. Detonationen. Feuer. ›Smoof-Werk‹, erklärte der Sprecher hart.

Die Hütten wurden neu aufgebaut. Sie flimmerten, verschwanden. An ihrer Stelle erhob sich ein Wald. ›Smoof-Werk. Zeitverschiebung . . .‹

»Gut für die Bewohner«, wisperte ich. Die Bäume waren der erste schöne Anblick, den wir genossen.

Dann schwenkte die Kamera auf den Planeten Venus. Eine Gruppe von Siedlern hatte eine unterirdische Stadt errichtet, ganz in der Nähe einer Gebirgskette. Wolken. Öde. Man konnte den Kommentar kaum verstehen. Unsere Nachkommen schienen eine Art Stenosprache entwickelt zu haben. Offensichtlich handelte es sich um eine Rückblende. Menschen krochen durch eine Schlucht, bohrten, sprengten, errichteten Häuser — alles in ihren plumpen Raumanzügen. ›Kohlendioxyd‹, schluderte der Sprecher. ›Bazillen. Atmosphäre unverträglich.‹

Die Kolonisten hausten wie Tiere und die Wissenschaftler wie Landstreicher. Strohsäcke. Eine primitive Vivisektion wurde durchgeführt — an Menschen. Das Bild flimmerte und verwischte sich. Dann erfaßte die Kamera durch ein Fenster die öde Landschaft von Venus. Im Gänsemarsch kamen Siedler vorüber. Sie trugen keine Raumanzüge mehr, sondern waren in Lumpen gehüllt. Eine Nahaufnahme verriet den Grund. Man hatte sie operiert. Hautlappen verschlossen die Nasenlöcher; statt dessen saßen an der Luftröhre Kiemen.

›Smots‹, lautete der knappe Kommentar. ›Kehrten nie zurück. Vermehrten sich in versteckten Winkeln des Planeten. Einige lebten mit Venusiern zusammen. Entstehung der Smoofs. Smots und Smoofs große Gefahr für die Menschheit . . .‹

Man zeigte uns in eindringlichen Bildern, worin die Gefahr bestand. Die Smoofs waren eine junge Rasse ohne Kultur und Tradition. Sie haßten ihre Heimatwelt. Nach fünf Generationen kannten sie den Raumantrieb, nach sieben war es ihnen gelungen, die Komponenten von Raum und Zeit zu trennen und nach Belieben in die Vergangenheit oder Zukunft zu wandern. Wir verstanden nicht alles, was der Sprecher in Formeln und Satzfragmenten erklärte, aber es schien festzustehen, daß es der Menschheit nicht gelungen war, die Zeitreisen zu kopieren. Zum Glück konnten die Smots und Smoofs zu ihren Expeditionen nur vom Raum aus starten. Sie tauchten mit ihren primitiven Schiffen in der Epoche ihrer Wahl auf, schickten eine Landefähre aus, die soviel Schaden wie möglich anrichtete, und holten sie dann wieder an Bord. So hatte die Raumpolizei, die einen Ring von Stützpunkten um die inneren Planeten errichtete, wenigstens ruhende Ziele — vorausgesetzt, diese Ziele befanden sich in der richtigen Zeit.

Die ständige Angst und Anspannung lähmte die Menschheit. Der Fortschritt stockte, die Sitten verfielen, überall herrschte strenges Kriegsgesetz.

Harry und ich betrachteten hilflos das Chaos. Bristol oder Brüssel fiel, andere Städte folgten nach. Die Streitkräfte der Smoofs verbreiteten überall Tod und Zerstörung. Den Menschen blieb nur die Hoffnung, daß ihre Halbbrüder irgendwann auf eine Rasse stoßen würden, der sie nicht gewachsen waren.

Die Polizei brachte ein Smoof-Schiff auf und richtete die gesamte Mannschaft bis auf den Anführer hin. Ihn transportierte man nach Eros. Und seinetwegen hatte man die Video-Akte angelegt. Verschwommen tauchten seine Gesichtszüge am Bildschirm auf. Pause — Detonation — die Station stürzte ein — Smoofs verließen ein Raumschiff — die Station tauchte wieder auf — die Smoofs verschwanden — erschienen von neuem — wurden niedergeschossen — verschwanden. Das Bild flimmerte; offenbar eine automatische Kamera, die aus einem verrückten Winkel weiterfilmte; von der Kunst Hollywoods war in dieser totalitären Welt der Zukunft nichts übriggeblieben. Abrupt wurde der Schirm dunkel.

»Zeitlinien, die sich überschneiden?« fragte Harry mit gerunzelter Stirn.

»Ja«, erwiderte ich. »Es geht gleich weiter.«

Es ging weiter. Ganz anders. Immer noch verwahrloste Baracken, immer noch Eros, aber ganz anders. Raumpolizist Haggers Nasenbein war verheilt. Er hatte eine Glatze. Auf seiner Uniform glänzten imposante Rangabzeichen.

›Smoof gerettet‹ sagte der Sprecher in seinem merkwürdigen Telegrammstil. ›Befindet sich in der Vergangenheit. Neue Maschinen, die sie immer weiter zurückbringen. Akte 2/xii/12/309 ergänzt — hoffentlich zum letztenmal.‹

Hier war Schluß. Der Film hatte kaum zwanzig Minuten gedauert, aber in dieser Zeit verloren wir einen Teil unserer Menschlichkeit — den gleichen Teil, den unsere unglücklichen Nachkommen im Kaleidoskop der Ereignisse verloren hatten. Und in den letzten Sekunden der Vorführung fiel mir eine Einzelheit auf, die ich beim erstenmal nicht bemerkt hatte. Durch den trostlosen Raum, in dem sich der gealterte Hagger aufhielt, ging ein Mann. Es war Harry Crossway.

Und das gab der Sache ein neues Gesicht. Ich hatte die Videoplatte also nicht zufällig gefunden. Jemand, der um unsere Zukunft Bescheid wußte, hatte sie in meine Hände gespielt. Die Smoofs drangen immer weiter in die Vergangenheit zurück — weshalb? Brauchten Sie Ingenieure wie Harry und mich? Vor allem wurde mir klar, daß unser Handeln vorherbestimmt war. Und der Vorherbestimmung kann man nicht mit der Waffe entgegentreten. Harry zumindest gelangte auf irgendeine Weise in diese Frankenstein-Welt; die Video-Akte bewies es.

Und ich? Ich kann nur raten, aber mir zittern die Knie.

Es ist jetzt fünf vor neun. Ich habe die Polizei angerufen, nicht weil ich mir davon etwas erhoffe, sondern mehr aus Zorn. Zwei ungläubige Beamte leisten uns Gesellschaft. Einer lauert im Badezimmer, der andere im Treppenhaus. Keiner ist bewaffnet. Harry sitzt die Angst im Nacken. Er hat sich hinter dem Vorhang versteckt, der mein Bett vom übrigen Zimmer abtrennt, und umklammert seinen Revolver. Ich schreibe in aller Eile diese Zeilen nieder — vielleicht hilft das irgendwie.

Die Stadt, mein liebes, altes Cambridge, ist wie ausgestorben. Nein, ein Wagen prescht um die Ecke. Er hält vor dem Haus. Ein Mann steigt aus, ein Mann mit einem locker geschlungenen Halstuch — nein, nein, es ist kein Mann. Seine Nase . . .

Ich schätze, wir haben keine Chance.

»Es ist zu eng hier!« schrie er. »Es ist zu eng! Viel zu ENG!«

Er wirbelte herum, das Gesicht verzerrt, den Mund weit aufgerissen, und rempelte einen Passanten an. Der Mann verbeugte sich mit einem mitleidigen Lächeln und ging weiter. In seinen Augen war deutlich zu lesen: ›O Gott — wieder einer der armen Teufel vom Schiff!‹

»Es ist zu eng«, murmelte Surrey Edmark ihm nach. Das hektische Großstadttreiben von Singapur verwirrte ihn. Er stand auf der New Orchard Road, im grellen Licht der Neonreklamen. Tausende von Menschen. So nahe, daß er sie berühren konnte. Sie trugen Wolle, Seide, Nylon, Satin, einfarbig, gestreift, geblühmt. Tausende von Menschen innerhalb Rufweite. Wie viele würden aufhorchen, wenn er zu schreien begann?

Nein, sagte er sich, bitte nicht schreien! Diese Menschen, die dich wie Phantome umschwirren — sie sind echt. Und der Arzt, der dich noch nicht aus der Beobachtungsstation entlassen wollte — er ist auch echt. Wenn er hört, daß du schreiend durch die Hauptstraße läufst, holt er dich sicher zurück. Und du selbst — wie echt bist du? Wie echt ist *irgend etwas*, wenn man vor kurzem erst den unumstößlichen Beweis erhalten hat, daß am Ende nichts übrigbleiben wird?

Er mußte diese Gedankengänge meiden. Vielleicht gab es irgendwo einen stillen Winkel, wo er sich hinsetzen und Atem schöpfen konnte. Die anderen durften nicht merken, wie leer und ausgebrannt er sich fühlte; aber er mußte die Leere auch vor sich selbst verbergen, und dazu benötigte er mehr Geschick.

Surrey floh in eine enge, düstere Seitenstraße. Drei Mädchen in kurzen Röcken lehnten in einer Toreinfahrt und rauchten. Weiter vorn kotzte ein Mann in eine Ligusterhecke. Auf der schlecht beleuchteten Veranda eines Cafés standen leere Stühle und Tische. Surrey erklomm die beiden Stufen und nahm erschöpft Platz. Ein Luxus.

Surrey war allein. Einige Gäste befanden sich noch im Lokal. Ein Mädchen sang zu einer Laute. Er verstand den Text nicht, aber es war ein wehmütiges Lied. Mit einem Seufzer schloß er die Augen. Plötzlich hörte das Mädchen zu singen auf. Sie trat auf die Veranda hinaus und spähte in die Nacht. Surrey öffnete die Augen.

»Setzen Sie sich zu mir! Ich möchte ein wenig mit Ihnen plaudern.«

Sie musterte ihn kurz und wandte sich dann hochmütig ab. Offensichtlich erhielt sie öfter solche Einladungen. Surrey ballte verzweifelt die Fäuste. Da saß er, isoliert in Zeit und Raum, brauchte Trost brauchte — nein, Heilung fand er wohl nicht, aber es gab Dinge, die den Schmerz linderten. Die Einsamkeit ließ sich nicht länger ertragen.

»Ich komme vom Schiff«, sagte er, und es gelang ihm nicht, den bettelnden Tonfall zu unterdrücken.

Daraufhin schlenderte sie näher und nahm an seinem Tisch Platz. Sie war Chinesin; ein enges, geschlitztes Kleid umspielte ihre zierliche Figur.

»Das konnte ich nicht wissen«, entgegnete sie. »Aber jetzt erkenne ich es . . . an Ihren Augen.« Sie zuckte leicht zusammen. »Möchten Sie einen Drink?«

Surrey schüttelte den Kopf. »Sie sollen nur bei mir bleiben . . .«

Allmählich gewann er sein Gleichgewicht wieder. Eine unlogische Stimme in seinem Innern sagte: ›Gut, du hast eine harte Zeit hinter dir, aber jetzt bist du wieder daheim und kannst dich erholen. Es wäre doch gelacht, wenn es dir nicht gelingen sollte, dein früheres Leben wieder aufzunehmen.‹ Die Stimme sagte das oft, aber die Antwort lautete stets: ›Nein!‹ Das Erlebte fraß sich immer tiefer — wie Krebs.

»Ich hörte, wie das Schiff kam«, sagte die Chinesin. »Meine Wohnung liegt drüben in der Bukit Tinah Road, wenn Ihnen das ein Begriff ist. Ich stand gerade mit einer Freundin am Fenster . . .«

Sonnenschein; der Gestank von ranzigem Öl, der alles durchdrang; und ein Mädchen, das in einer schäbigen Mansarde am Fenster stand und mit einer Freundin sprach — und dann das Schiff, das sie mitten im Satz stocken ließ; ein Kreischen, ohrenbetäubend und doch weit weg; Jahrhunderte entfernt.

»Es ist schon ein merkwürdiges Geräusch, wenn ein Schiff die Zeitmauer durchbricht.«

Sie nickte.

Surrey suchte krampfhaft nach einem Gesprächsthema, damit das Mädchen blieb. Der Gedanke, daß sie ihm aus Neugier Gesellschaft leistete, kam ihm nicht. Schließlich sagte sie von sich aus: »Hilft es, wenn Sie mir alles erzählen?«

»Und ob . . .«

»Es ist — *schlimm* in der Zukunft, nicht wahr? Ich meine, in den Zeitungen steht . . .« Sie zögerte nervös.

»Was steht in den Zeitungen?«

»Ach, eben, daß es schlimm ist. Nichts Genaueres — sie scheinen das Problem nicht recht zu verstehen.«

»Das ist der Schlüssel«, sagte er. »Wir scheinen es nicht zu verstehen. Selbst wenn ich die ganze Nacht auf Sie einredete, Sie würden es nicht verstehen. Ich verstehe es selbst nicht . . .«

Sie war schön, wie sie mit ihrer Laute im Arm dasaß. Er hatte sich weit von diesen Dingen entfernt, in eine Zeit, die weder Schönheit noch Musik kannte.

»Was haben Sie vorhin gesungen?«

»Ein altes malaysisches Lied. Es heißt ›Terang Boelan‹ und beschreibt den Mondschein. Ein wenig sentimental . . .«

»Mir war die Sprache fremd, aber irgendwie verstand ich den Inhalt.«

»Sie wollten mir etwas über die Zukunft erzählen«, erinnerte sie ihn sanft.

»Ja. Natürlich. Wir gehören einem riesigen Hilfswerk an,

dem Intertemporalen Roten Kreuz. Ein lächerlicher Name —
viel zu schwülstig.«

Er starrte ins Dunkel; es sah nach Regen aus. Als er wieder
zu sprechen begann, klang seine Stimme fester.

Das IRK ist im Grunde eine Organisation der Paulls. Die
Paulls — so nennen sie sich selbst — sind die Superzivilisation
einer Epoche, die dreihunderttausend Jahre nach uns existieren
wird. Das ist ein gewaltiger Sprung in die Zukunft — jenseits
unserer Vorstellungskraft. Unser Schiff stoppte in ihrem Zeitalter. Es war eine strenge, nüchterne Welt; die Paulls sind ein
strenges, nüchternes Volk. Sie leben auf kahlen Klippen über
dem Meer.

Die Paulls haben wenig Ähnlichkeit mit uns, und doch stehen sie uns näher als die Menschen, denen wir zu helfen versuchten.

Das Prinzip der Zeitreise gab es lange vor der Epoche der
Paulls, aber sie vervollkommneten es und entdeckten bei einer
ihrer Expeditionen zufällig das Elend der Gescheiterten. Weshalb sie ihre Hilfsaktion ins Leben riefen? Nun, die Paulls
sind zwar reich, aber auch sie besitzen nicht genügend Reserven, um das Problem zu bewältigen. So rüsteten sie eine Flotte von Zeitschiffen aus und schickten sie in verschiedene Epochen, um dort zu Spenden für die Gescheiterten aufzurufen.

Menschen aus fünf Zeitaltern arbeiten unter Führung der
Paulls an dem Projekt mit. Da ist beispielsweise das Mittlere
Volk, eine Rasse von Philosophen, die uns ziemlich arrogant
erschienen; sie leben noch weiter in der Zukunft als die
Paulls. Oh, es ist eine lange Spanne. Oder die — aber lassen
wir das! Die anderen Gruppen hatten wenig mit uns zu tun,
und wir kümmerten uns nicht um sie.

Wir — die Vertreter der Gegenwart — hatten als einzige die
Zeitreise noch nicht entdeckt. Die Paulls wählten uns, weil wir
zufällig in Frieden und Wohlstand leben. Und wissen Sie, wie
sie uns nennen? Die Kinder. *Kinder!* Ausgerechnet uns mit
unserer intellektuellen Großspurigkeit! Aber sie haben ver-

mutlich recht. Sie haben eine Gestaltpsychologie entwickelt, die unser Denken und unsere Logik armselig erscheinen läßt.

Einmal, während unserer Reise in die Zukunft, fragte ich einen der Paulls, weshalb sie unser Zeitalter nie zuvor aufgesucht hätten; und er entgegnete: »Oh, wir waren einmal im neunzehnten und einmal im sechsundzwanzigsten Jahrhundert. Das ist ein sehr enger Bereich, der uns genug Aufschluß über euch gibt.«

Sehen Sie, die Paulls haben soviel *Erfahrung*. Sie halten sich einen Tag lang in einem Jahrhundert auf und wissen dann genau, was in den nächsten sechs- oder siebenhundert Jahren geschehen wird. Es ist wohl eine andere Perspektive.

Vielleicht erinnern Sie sich besser als ich an die Ankunft der Paulls. Ich lebte damals bei meiner Familie und ging einer friedlichen Beschäftigung nach; wäre sie nicht so sehr friedlich gewesen, hätte ich mich vielleicht gar nicht zum IRK gemeldet. Ich weiß noch gut, welchen Sturm der Aufruf damals entfachte. Ja, wir benahmen uns wirklich wie Kinder! Wie wir die Paulls umbuhlten, als sie ihre Rundreise durch die großen Städte machten! Während der drei Monate, die sie hier weilten und in denen sie alles organisierten, müssen sie vor Ungeduld beinahe gestorben sein; dennoch ließen sie sich nichts anmerken. Sie schilderten immer wieder das Los der Gescheiterten und lächelten in die 3-D-Kameras.

Von allen Seiten strömte Geld für den guten Zweck herein, Konserven stapelten sich, und Medikamente füllten die Frachtluken. Was packten wir nicht alles in das Schiff! Waschmaschinen und Panorama-Fernseher — Dinge, mit denen die Gescheiterten absolut nichts anfangen konnten. Endlich brachen wir auf. Der Startlärm des Schiffs übertönte die Abschiedsmelodien der Musikkapellen — es ging in die Zeit der Gescheiterten.

»Jetzt wäre ich Ihnen dankbar für einen Drink«, sagte Surrey zu der Chinesin.

»Sofort.« Sie schnippte mit den Fingern, ohne den Blick von

seinem Gesicht zu lösen. »Die Paulls hatten euch gesagt, daß es schwer sein würde.«

»Ja. Sie unterzogen uns einem harten geistigen Training, bevor wir aufbrachen. Viele schieden damals schon aus. Aber ich schaffte es. Ich war der Beste ihrer Eliteklasse, und so machten sie mich zum Steuermann.«

Surrey schwieg einen Moment, erstaunt darüber, daß in seinem Worten Stolz mitgeklungen hatte. Stolz — nach diesem Erlebnis? Nein, es war nur die Stimme, die sich von den alten Gewohnheiten nicht lösen konnte; die nackte Seele, die sich hinter alten Gefühlen zu verkriechen suchte.

Jemand brachte zwei Drinks in hohen, getönten Gläsern. Die Chinesin legte ihre Laute auf den Tisch. Surrey nahm einen tiefen Zug und fuhr dann mit seiner Geschichte fort.

Wir reisten in die Zukunft! Ein Schuljungentraum ging in Erfüllung. Aber der Nervenkitzel ließ bald nach, und die Monotonie des Flugs lastete bedrückend auf uns. Der Sprung zwischen den Zeiten erfolgt nämlich nicht von einer Sekunde zur nächsten, wie wir uns das vorgestellt hatten. Wir waren zwei lange Monate unterwegs, bis wir die Epoche der Paulls erreichten. Unsere Begleiter verließen das Schiff, alle bis auf einen, und wir setzten die Reise fort.

Die Paulls hatten noch die anderen Zeitalter zu überwachen; sie mußten sich zudem um die gesamte Organisation kümmern. Dennoch beschleicht mich manchmal der Verdacht, daß sie diese Probleme als Ausrede benutzten, um sich selbst den Besuch in der Zeit der Gescheiterten zu ersparen. Vielleicht hielten sie uns für unempfindlicher und deshalb besser geeignet für die Aufgabe.

Wir drangen immer weiter in die Zukunft vor. Die Paulls hatten uns eine reichhaltige Bibliothek zur Verfügung gestellt, und so konnten wir nicht über Langeweile klagen. Dennoch waren wir froh, als wir endlich ankamen.

Froh!

Viele hundert Millionen Jahre trennten uns vom Zeitalter

der Gescheiterten; wie groß der Abstand genau ist, verrieten uns die Paulls nie. Es gibt auch wichtigere Dinge . . .

Wir betraten die Erde jener fernen Zeit. Kindisch wie ich war, hatte ich etwas Besonderes erwartet — daß künstliche Monde am Himmel kreisten oder die Sonne inzwischen dunkler geworden sei. Irgend etwas Dramatisches jedenfalls. Aber die Erde war nicht gealtert. Nur die Menschheit.

Die Gescheiterten hatten keine Ähnlichkeit mehr mit uns, weder physisch noch geistig. Ein kleiner Trupp von Jammergestalten — so kauerten sie zwischen den Vorratsstapeln. Die Witzbolde unter uns nannten sie ›Mißgeburten‹, aber nach ein paar Tagen verging auch ihnen der Humor.

Die Gescheiterten besaßen keine echten Hände. Aus ihren Handgelenken wuchsen fünf lange, geschmeidige Finger, mit denen sie leicht am Boden entlangstreiften, wenn sie sich fortbewegten; ihr Rückgrat war weit nach vorne gekrümmt, und die Schädel hatten eine langgezogene, bootsähnliche Form. Auf den ersten Blick glaubte man, daß ein weicher Flaum ihre Körper bedeckte, aber in Wirklichkeit waren sie völlig unbehaart, und nur die Poren ihrer Haut standen schuppig nach außen.

Ihre Blicke verrieten Leere. Sie sprachen mit dumpfen, schmerzerfüllten Stimmen . . . kurze Sätze, die nicht viel mehr waren als ein Stöhnen. Wir verstanden ihre Sprache nur mit Hilfe eines Übertragungsgerätes, das uns die Paulls mitgegeben hatten.

Sie boten einen traurigen Anblick, aber anfangs beunruhigte uns das nicht. Sehen Sie, wir verstanden das Kernproblem noch nicht so recht. Außerdem hatten wir mehr als genug zu tun.

Vier große Hilfszentren waren auf der Erde errichtet worden. Zwei der Rassen, die sich im IRK befanden, bauten Sanatorien, eine dritte stellte das Personal für diese Heilstätte, und die vierte kümmmerte sich um die allgemeine Organisation. Unsere Aufgabe war es, die Gescheiterten zu exhumieren und zu den Hilfszentren zu bringen; ein simpler Auftrag für die simpelste Gruppe — die Kinder.

Insgesamt gab es auf der Erde an die sechs Millionen Gescheiterte. Wir fuhren mit Spezialtraktoren umher und buddelten sie aus.

Die Gescheiterten hatten ›Totenäcker‹; wir nannten die riesigen Flächen zumindest so, auch wenn sie ursprünglich nicht als Friedhöfe dienten. Es war wie ein böser Traum. Tag und Nacht pflügten wir die Erde auf. In der Humusschicht erschien ein Gesicht, ein Arm mit langen Fingern, zwei Beine. Wir hielten den Traktor an, sprangen ab und gruben mit Schaufeln weiter.

Es war schwer zu erkennen, ob es sich um Männer oder Frauen handelte. Ausgeprägte Geschlechtsmerkmale gab es nicht. Die Gestalten befanden sich im Koma. Sie öffneten die Augen wie Schlafpuppen und ließen sie mit einem Klicken wieder zufallen. Wir gaben ihnen eine Injektion, luden sie auf Tragen und schickten sie in eines der Hilfszentren. Eine anstrengende Arbeit.

Bei sorgfältiger Pflege und Behandlung erwachten die Gescheiterten bald wieder zum Leben. Nach einem Monat bereits sah man sie durch die Parks der Sanatorien schlendern. Die schweren Köpfe auf den weit vorgeschobenen Schultern nickten bei jedem Schritt.

Und dann kam mein Einsatz. Ich mußte versuchen, mit ihnen ins Gespräch zu kommen.

Nun hatten die Übertragungsgeräte, obwohl sie von den Paulls stammten, ihre Grenzen. Konkrete Begriffe bereiteten kaum Schwierigkeiten, aber die Nuancen, die Zwischentöne, ließen sich einfach nicht wiedergeben. Es war ein altes linguistisches Problem, erschwert durch die Epochen, die zwischen uns lagen.

Ich weiß noch, wie ich mich bei unserem ersten Aufenthalt im Sanatorium einer alten Frau widmete. Ich sage ›alt‹. Vielleicht war sie erst sechzehn. Aber sie wirkten alle greisenhaft.

»Hoffentlich stört es Sie nicht, daß wir Ihr Volk ausgra...
äh, retten«, begann ich.

»Aber nein. Ein Vergnügen«, erwiderte das Übertragungsgerät. Höfliche Floskeln. Sie sind in jeder Sprache bedeutungs-
los, aber eine Computerstimme läßt sie noch alberner erscheinen, als sie sind.

»Wäre es möglich, das ganze Problem mit Ihnen zu bespre-
chen?«

»Welches Problem? Mein Problem ist gelöst.«

»Ich würde gern mehr darüber hören.«

»Was genau?«

Das klang zumindest nicht abweisend.

»Sie wissen, daß wir aus der fernen Vergangenheit kommen, um Ihrer Rasse zu helfen?« Die Maschine übertrug das
ohne jeden Pathos.

»Ja. Es ist edel, daß ihr euer Leben unsretwegen unter-
brecht.«

»Wir tun es gern, weil wir finden, daß die Menschheit nicht
so ohne weiteres aussterben darf. Es macht uns traurig, daß
ihr den falschen Weg eingeschlagen habt.«

»Wir setzen den Weg unserer Ahnen fort.« Ich wußte nicht,
ob dieser Satz einen Vorwurf enthielt. Das Gerät gab ihn als
sachliche Feststellung wieder.

»Verstehen Sie mich recht, ich verurteile Ihr Volk nicht. Es
wußte nicht, daß dieser Weg zum Scheitern führen würde.«

Sie antwortete mit dumpfen, gequälten Sätzen, und ich hatte irgendwie den Eindruck, daß sie verärgert war — ein letzter
Funke von Emotion, der in ihr brannte. Das Gerät übertrug
ihre Antwort in flüssiges Englisch, aber ich verstand den Sinn
nicht.

Das Ganze klang etwa so: »Scheitern ist nur dann Schei-
tern, wenn es ein Versagen und kein Schlußmachen ist. Unser
Scheitern ist ein Schlußmachen. Ein endgültiges Schlußmachen.
Und als solches ist es nur Folge einer Erkenntnis...«

»Moment!« unterbrach ich. »Heben Sie sich dieses philoso-
phische Traktat für später auf. So leid es mir tut, ich verstehe

kein Wort davon. Setzen wir einmal voraus, daß Ihre Rasse an irgendeiner Stelle versagt hat. Glauben Sie, daß es ihr gelingen wird, etwas aus dem neuen Start zu machen, zu dem wir ihr verhelfen?«

»Es ist kein neuer Start«, begann sie, anfangs noch ganz verständlich. »Es ist die Folge einer Folge einer Erkenntnis. Wir betrachten den Start als Folge des Schlußmachens, während für euch das Versagen die Grundlage des Starts ist ...«

»Halt!« schrie ich.

Ich suchte den Paulls auf, der das Projekt leitete, und erklärte ihm, daß ich allmählich genug hätte.

»Das ergeht uns allen so«, entgegnete er.

»Aber wenn ich nur begreifen würde, worin ihr Problem besteht! Sehen Sie, Kommandant, wir haben die lange Reise in die Zukunft auf uns genommen, um diesen Leuten zu helfen — und wir wissen immer noch nicht, *wobei* wir ihnen helfen sollen.«

»Wir wissen, *weshalb* wir ihnen helfen, Edmark. Diesen Leuten wurde die Bürde auferlegt, die Menschheit vor dem Aussterben zu bewahren, eine neue und beständigere Generation hervorzubringen. Darauf sollten Sie Ihr Augenmerk richten.«

Vielleicht war sein Lächeln eine Spur zu gönnerhaft; es erinnerte mich daran, daß die Paulls uns ›Kinder‹ nannten.

»Hören Sie«, meinte ich kampflustig. »Meine Kollegen sind mit den Nerven am Ende. Entweder Sie verraten uns, was vorgefallen ist, oder wir packen unser Zeug ein und kehren wieder heim. Nun einmal klipp und klar — was fehlt diesen Mißgeburten?«

Der Kommandant lachte.

»Wir wissen es nicht«, sagte er. »Wir wissen es wirklich nicht.«

Er erhob sich, eine große, nüchterne Gestalt, und trat ans Fenster, die Hände auf dem Rücken verschränkt. Sein Blick verriet, daß er die Gescheiterten betrachtete, die in der blassen Nachmittagssonne durch den Park schlenderten.

Dann wandte er sich um und meinte: »Das Sanatorium hier wurde für die Gescheiterten errichtet. Statt dessen füllt es sich immer mehr mit ihren Betreuern. Sie bewältigen die Aufgabe nicht . . .«

»Ich kann es ihnen nachfühlen«, entgegnete ich. »Wenn ich nicht bald zu der Wurzel des Problems vorstoße, drehe ich auch durch.«

Er hob abwehrend die Hand.

»Das sagen alle. Aber es gibt keine Wurzel, zu der man vorstoßen kann, zumindest keine, die wir verstehen. Wir wären schon zufrieden, wenn Sie das Problem einkreisen könnten . . .«

»Ihr habt doch Zeitschiffe«, sagte ich plötzlich. »Geht zurück und erkundet, was sich abgespielt hat!«

Nein, die Lösung war zu einfach. Sicher hatten sie längst selbst daran gedacht.

»Wir sind zurückgegangen«, erwiderte der Kommandant knapp. »Aber psychische Probleme — vorausgesetzt, daß es ein psychisches Problem war — bleiben unsichtbar. Wir beobachten nur, wie sich jeder einzelne der sechs Millionen Gescheiterten eines dieser verfluchten, flachen Gräber schaufelte. Das zog sich über einen langen Zeitraum hin; einige der Geretteten haben mehr als dreihundert Jahre unter der Erde gelegen. Nein — unsere Hauptschwierigkeit ist die Sprachbarriere.«

»Die Übertragungsgeräte taugen nichts«, sagte ich ein wenig ungerecht. »Eine Maschine kann eine so heikle Aufgabe nicht lösen. Wäre es nicht möglich, daß einer von euch das Dolmetschen übernimmt?«

Nach einigem Sträuben kam er selbst mit.

Eine der Gescheiterten schlenderte langsam über den Rasen, als wir ins Freie traten. Vielleicht war es die Frau, mit der ich bereits gesprochen hatte. Ich weiß es nicht. Sie sahen alle gleich aus. Jedenfalls hielten wir sie an und versuchten unser Glück.

»Fragen Sie, weshalb sie sich eingruben!«

Der Paull dolmetschte, und die Frau gab gequält Antwort.

»Sie meint, daß es für notwendig erachtet wurde, da es der Vereinigung vor Beginn des Versuchs diente.«

»Welcher Vereinigung?«

Wieder ein Austausch von Seufzern und Klagelauten.

»Die Vereinigung der Vereinigung, die sie versuchten — was immer das bedeuten mag.«

»Klangen die beiden Worte gleich?«

»Das war eine Nominativ, das andere Genitiv; sonst konnte ich keinen Unterschied feststellen.«

»Fragen Sie — fragen Sie, ob sie sich in eine andere Daseinsform verwandeln wollten ... ob sie so etwas wie Vergeistigung erstrebten!«

Der Paull sprach mit der Frau. Dann meinte er überrascht: »Sie sagte — ja, wir versuchten eine Vergeistigung zu erlangen.«

»Na, endlich!« rief ich ein wenig selbstgefällig. Offenbar brauchte man nur Beharrlichkeit und die Logik meiner Epoche.

Die alte Frau sprach weiter.

»Was?« fragte ich eifrig.

»Sie sagt, daß sie immer noch eine Vergeistigung zu erlangen suchen.«

Wir stöhnten beide. Wieder eine Sackgasse.

»Geben Sie auf!« riet mir der Kommandant mitfühlend. »Es hat keinen Sinn.«

»Noch eine letzte Frage. Hatte sich irgendeine Katastrophe ereignet, die das seltsame Verhalten auslöste?«

»Bitte, wie Sie wollen! Aber glauben Sie nicht, daß Sie damit weiterkommen!«

Er dolmetschte. Sie gab eine kurze Antwort.

»Sie meint, es handelt sich um ›antwerto‹ — eine Katastrophe, die alle Katastrophen beendet.«

»Und die Art der Katastrophe?«

»Dafür gebraucht sie ein kurzes Wort — Struback. Leider kennen wir seine Bedeutung nicht.«

»Hm. Fragen Sie, ob es etwas mit Evolution zu tun hat!«

»Mein Lieber, das ist alles Zeitverschwendung! Ich weiß die Antworten auswendig.« Dennoch übersetzte er meine Frage.

Diesmal redete die Frau lange auf ihn ein. Wir standen da und hörten ihr zu.

»Sie sagt, ›Struback‹ habe eine vage Verbindung mit Evolution«, erklärte mir der Kommandant.

»Das war *alles*?«

»O Gott! Nein, es war nicht alles, aber es läuft letzten Endes darauf hinaus. ›Die Zeit prägt sich der Menschheit als Evolution auf!‹ Das hat sie wörtlich gesagt.«

»Fragen Sie, ob die Katastrophe wenigstens teilweise religiöser Art war!«

Als er die Antwort der Frau hörte, lachte der Kommandant hart. »Sie möchte wissen, was ›religiös‹ bedeutet. Und verlangen Sie ja nicht von mir, daß ich Ihre Erklärung abwarte!« Er wandte sich ab und ging.

Struback. Eine langgezogene dumpfe Silbe, gefolgt von einem scharfen Klicklaut. Nacht für Nacht geisterte das Wort durch meine Träume. Es wurde zum Symbol der Gescheiterten — aber nie mehr.

Die meisten anderen verfielen in Schwermut. Sie schlichen wie in Trance umher oder verschwanden in einem Krankenzimmer. Natürlich kam Verstärkung aus der Gegenwart. Die Gegenwart! Ich betrachtete sie nicht mehr als solche. Für mich war die Epoche der Gescheiterten Gegenwart, Vergangenheit und Zukunft.

Ich wollte nicht aufgeben. Immer wieder nahm ich das Übertragungsgerät und befragte die Leute. Ich hegte den verrückten Verdacht, daß die Gescheiterten versucht hatten, über das Menschsein hinauszugelangen — eine höhere Daseinsform zu erreichen.

»Als euch zuerst dieser Gedanke kam«, fragte ich einen alten Mann, »wart ihr da froh?«

Seine Antwort lautete: »Wo Scheitern ist, ist nur Erniedrigung und Elend. Ihr könnt die Erniedrigung nicht verstehen, weil ihr nicht zu unserer Generation gehört . . .«

»Halt! Ich *versuche* zu verstehen. Helfen Sie mir dabei! Weshalb war das Scheitern so erniedrigend?«

»Die Erniedrigung war das Scheitern«, sagte er. »Das Scheitern war das Struback. Das Struback war das Elend.«

»Sie meinen, das Elend gab es schon zu Beginn des Experiments?«

»Es gab keinen Beginn, nur ein Ende, und das war die Folge.«

Ich preßte die Hand gegen die Stirn.

»War das Eingraben kein Beginn?«

»Nein.«

»Was dann?«

»Es war nur der Teil eines Versuchs.«

»Welches Versuchs?«

»Sie sind so dumm! Begreifen Sie nicht? Der Versuch, den wir zur Lösung des Problems unternahmen.«

»Welches Problems?«

»*Des* Problems«, entgegnete er müde. »Des Problems der Lösung dieses Falls im Beginn des Scheiterns. Es kommt nicht darauf an, wie die Lösung erreicht wird, wenn alle Fälle gleich sind, aber bei einer Unterschiedlichkeit der Fälle bestimmt der Beginn die Lösung, und das Ende bestimmt willkürlich den Beginn des Falls. Aber der Willkürfaktor liegt schon im Beginn des Falls und dem Fall selbst. Infolgedessen ist unser Fall einer der gleichen Fälle, und das Scheitern erfolgte durch den Beginn, wobei der Beginn unsere Lösung war.«

Es war hoffnungslos. »Soll das eine Erklärung sein?« fragte ich schwach.

»Nein, Sie schwerfälliger junger Mann!« entgegnete er. »Ich erzähle Ihnen von unserem Scheitern. Sie sind der Struback!«

Damit wandte er sich ab.

Surrey warf der kleinen Chinesin einen verzweifelten Blick zu. Sie trommelte mit den Fingerspitzen auf die Tischplatte.

»Was meinte er mit dem Satz: ›Sie sind der Struback!‹?«

»Alles oder nichts«, murmelte er. »Es hatte keinen Sinn, weiter in ihn zu dringen. Ich hätte seine Antwort ohnehin nicht verstanden. Sehen Sie, das Problem ist entweder so komplex oder so primitiv, daß wir es nicht erfassen.«

»Aber . . .« begann sie und zögerte.

»Die Gescheiterten konnten nur in abstrakten Begriffen denken«, meinte er. »Vielleicht war das ein Faktor, der mit ihrem Versagen zu tun hatte — ich weiß es nicht. Sehen Sie, Sprache und Kultur eines Volkes lassen sich nicht trennen; man kann eine Sprache erst verstehen, wenn man die Kultur versteht — aber wie versteht man eine Kultur, wenn man ihre Sprache nicht kennt?«

Surrey starrte die Laute an, die auf dem Tisch lag. In diesem Moment durchschnitt ein ohrenbetäubendes Kreischen die Stille.

»Wieder ein paar Nervenbündel, die zurückkehren«, meinte er grimmig.

NATHANIEL

Dies, Nathaniel, ist die Geschichte eines Mannes, der das Kunststück fertigbrachte, sich völlige Nutzlosigkeit unentbehrlich zu machen.

Alastair Mott bekam die Macht in die Wiege gelegt, auch wenn er sie später, wie wir noch sehen werden, leichtsinnig verspielte. Mit einundzwanzig war er bereits Protagon von Sconn, einem Territorium etwa so groß wie Nord- und Süd-Dakota zusammen (genaugenommen bestand es aus Nord- und Süd-Dakota).

Sorgen kannte Alastair nicht. Er sah gut aus, hatte eine blendende Gesundheit und schwamm in Geld. Er besaß ein kleines Liebesnest auf Ganymed und umwarb im Moment (da besagtes Liebesnest sein streng gehütetes Geheimnis war) Jungfrau Rosalynd Staffordshire III, was diese nicht ungern zu sehen schien. Darüberhinaus — und das ist wichtig, Nathaniel — hatte er keine Spur von Sozialgewissen, so daß die Leiden seiner Untertanen ihm weder die Nachtruhe raubten noch sein heiteres Naturell beeinträchtigten.

Wenn er nicht gerade auf einer der Partys oder Karnevalsfeste der Galaxis-Schickeria herumschwirrte, beschäftigte er sich mit Fremdsprachen, einmal, weil er tatsächlich einen Hang zur Philologie hatte, zum anderen, um sich mit einem Hauch von Charakter zu schmücken. (Er wußte sehr wohl, daß er keinen besaß.)

Die Philologie ist ein ungefährlicher Zeitvertreib, ganz im Gegensatz zum Festefeiern. (Akademiker stellen vielleicht mit Befriedigung fest, daß Alastair durch sein Nachtleben zu Fall kam und Rettung durch die Philologie fand. Aber ich greife vor.) Zu seinem Pech geriet Alastair nämlich auf einer besonders verderbten Party in Konflikt mit Jungfrau Vera Manchester IXA und dem Hofzeugmarschall.

Erst gegen Schluß des Festes bemerkte Alastair seinen Fehler. Er erwachte im Morgengrauen, neben sich Vera Manchester, die ihren Titel aufgegeben und damit den seinen in Gefahr gebracht hatte. Der Hofzeugmarschall war in diesen Dingen eigen; es lag ohne weiteres in seiner Macht, Rivalen in den Eunuchenstand zu versetzen. Alastair erbleichte bei dem Gedanken an solche Zukunftsaussichten und betrachtete das Verhältnis von Stund an als gelöst. Leider las Vera Manchester IXA in seinem hastigen Rückzug eine stumme Kritik an ihren Reizen — Damen haben das so an sich.

Sie sann im geheimen auf Rache, während Alastair seine Bemühungen um Jungfrau Rosalynd fortsetzte. Alles wäre vielleicht noch glatt verlaufen, wenn sich bei Hofe nicht durch eine Reihe von Todesfällen eine gewisse Umschichtung ergeben hätte. Urplötzlich trug Vera Manchester den Titel einer Obersten Lady, und das Territorium Sconn kam unter ihre Kuratel.

Alastair nahm gerade ein Nachmittagsbad, als ihn die Kunde von seiner Beförderung erreichte.

»Ständiger Gouverneur von Acrostic I«, murmelte er. »Was hat das zu bedeuten? Und wo in Teufels Universum liegt Acrostic I?«

Der Roboter-Butler klickte fünf Sekunden, dann klärte er seinen Herrn auf. Acrostic I war einer von zwei Planeten, die eine gelbe Sonne in den Ausläufern von Smith's Burst, einem winzigen intragalaktischen Nebel, umkreisten. In dieser Gegend gab es auch nicht die Spur einer Zivilisation.

Alastairs Blicke sogen sich kummervoll an dem Wörtchen ›ständig‹ fest. Die Beförderung bedeutete das Ende seines angenehmen Lebens. Tropfnaß erhob er sich aus der Wanne.

»Es war mir eine Ehre, Ihnen zu dienen, Sir«, sagte der Roboter und massierte Alastair sanft mit einem Warmluftstrahl.

In jenen Tagen gestaltete sich die Raumfahrt noch recht beschwerlich, und selbst ein Gouverneur durfte nicht mehr als sein Handgepäck an Bord nehmen. Alastair betrat mit zwei winzigen Koffern die Luftschleuse der *Garfinkle*. Er hatte alles, was ihm lieb und teuer war, zurückgelassen.

Während der langen, öden Reise ins Exil überwand Alastair allmählich sein Heimweh. Gewiß, er dachte mit Bedauern an das Territorium Sconn und sein pikantes kleines Geheimnis auf Ganymed; er trauerte um seine Freunde, und er rief sich, wenngleich mit Skepsis, die Abschiedsworte von Jungfrau Rosalynd in Erinnerung: ›Adieu, mein geliebter Alastair! Ich will auf dich warten!‹ Aber er beschloß, das Beste aus seiner mißlichen Lage zu machen. Vielleicht entstand bereits damals sein Plan; vielleicht prägte er bereits in jenen Stunden das Prinzip: ›Alles durch nichts!‹

Endlich erreichten sie Smith's Burst, und die *Garfinkle* enteilte in angenehmere Gefilde, nachdem sie Alastair abgesetzt hatte.

Es gab schönere Welten als Acrostic I. Sie hatte eine dünne Atmosphäre, an deren Gestank man sich erst gewöhnen mußte. Der Mangel an Metallen und anderen Schwerelementen brachte es mit sich, daß man ständig einen leichten Schwindel empfand. Ihre Bahn um die Sonne verlief unangenehm eng; die Tage waren heiß und die Nächte (wegen der dünnen Atmosphäre) eiskalt.

Stürme, Schnee, Frost, Hitzewellen, Dürre- und Flutkatastrophen suchten Acrostic I in unregelmäßigen Abständen heim. So nahm es niemanden wunder, daß die Eingeborenen des Planeten, primitive, elefantenartige Geschöpfe, nahezu ausgerottet waren.

Die terranischen Kolonisten — etwa zwanzigtausend an der Zahl — lebten in der Nähe von Allerheiligen, der einzigen Stadt von Acrostic I. Und diese Ansammlung von Bruchbuden mit dem überspannten Namen sollte fortan Alastairs Heimat sein! Er stöhnte, als ihn ein *Quaff*, die lokale Pferde-Abart, durch die staubigen Straßen zu seiner Residenz trug. Geier und winzige Äffchen beobachteten ihn von den Hausdächern.

Das Fehlen von Metall zeigte sich an allen Ecken und Enden, von der langweiligen Architektur bis zu den unrasierten Einwohnern, ganz besonders störte Alastair, daß es keine sanitären Einrichtungen gab. Ein Großteil der Farmer hatte es satt bekommen, sich mit dem unberechenbaren Klima herumzuraufen; sie waren in die Stadt gezogen, wo sie allmählich versumpften. Kneipen und Spielhöllen gab es genug.

Die Oberste Lady hatte sich bitter gerächt.

Aber Alastair verfiel weder dem Trunk noch dem Trübsinn. Er *quaffte* durch das Land und machte sich selbst ein Bild von der Lage. Anfangs mißtrauten ihm die Siedler, aber als sie merkten, daß er es nicht auf ihr Geld abgesehen hatte, verloren sie ihre Scheu. Es dauerte nicht lange, bis Alastair die ganze Wahrheit über Acrostic I wußte: der Planet war eine Sackgasse. Niemand kam, und niemand ging.

Für die Erdbewohner existierte Acrostic I nicht. Nur ein Wort war auf abenteuerlichen Wegen bis ins Sol-System durchgesickert. Es stellte den ersten Exportartikel des Planeten dar.

Du, Nathaniel, weißt natürlich, was *scutterbucken* bedeutet: auf angenehme Weise die Zeit totschlagen. In Alastairs Tagen jedoch war der Ausdruck brandneu, exotisch und schick. Er tauchte auf wie tausend andere extraterrestrische Worte und ging in den Sprachschatz der Erde ein; für die Terraner klang *scutterbucken* herrlich verboten und sündig. Aber wie so oft unterlagen sie dabei einer Täuschung.

Der Amateur-Philologe Alastair klammerte sich an das dünne Band, das zwischen der Heimat und dem Staubball bestand, auf den man ihn abgeschoben hatte. Er *quaffte* mit einem Dolmetscher zur nächsten Eingeborenensiedlung und erfuhr, daß *scutterbucken* — oder richtiger *skutterbucken* — sich von einer Art Wetterschlaf ableitete. Wenn die Ureinwohner von Acrostic I etwas am Klima auszusetzen fanden, zogen sie sich in Höhlen zurück, fraßen nichts mehr und zeigten völlige Apathie gegenüber ihrer Umgebung — auf Acrostic I bestimmt kein Nachteil.

Kurze Zeit später brachte *Galactic Life,* das bedeutendste 3-D-Magazin der Erde, eine Reportage mit dem Titel: ›Skutterbucken Sie mit uns!‹

Auf farbenprächtigen Fotos sah man die Äffchen von Acrostic I, die abgesehen von ihren drei Brüsten starke Ähnlichkeit mit Menschen aufwiesen. Ein geschickter Hintergrund täuschte über die wahre Größe der Tiere hinweg (zwanzig Zentimeter, Nathaniel!). Als der Berichterstatter durchblicken ließ, daß die Äffchen Acrostics höchste Lebensform darstellten, tröpfelten die ersten männlichen Touristen ein. Sie schlenderten durch die Gassen von Allerheiligen, auf der Suche nach dem — wie sie es vorsichtig umschrieben — ›Lokalkolorit‹.

Als typische Grenzwelt hatte Acrostic I bis dahin jeden Fremden mit offenen Armen empfangen. Alastair änderte das. Neben dem Raumhafen wuchsen Zollgebäude in die Höhe, man klügelte ein raffiniertes Gebührensystem aus, und die Neuankömmlinge wanderten erst einmal in ein teures Quarantänehotel, wo sie eine Zwangsperiode der Akklimatisierung verbrachten. Wechselstuben entstanden, man gab Pässe und Visa aus. Jeder Stempel kostete Geld, und dieses Geld floß dem ständigen Gouverneur zu.

Der Tourismus war jedoch nur Mittel zum Zweck. Er half Alastair, seine übrigen Pläne zu verwirklichen.

Der Gouverneur von Acrostic I begann offizielle Berichte an die Heimatregierung zu schicken. In New York, dem Sitz der damaligen Welten-Verwaltung, zeigte man sich hocherfreut. Im allgemeinen hörte und sah man nichts von den Planeten am Rande der Galaxis; die Regierungsvertreter spielten sich als kleine Diktatoren auf, und da der Notenaustausch per Schiff erfolgte, konnten sie immer die Ausrede benutzen, die Post sei unterwegs verloren gegangen.

New York reagierte mit wahrem bürokratischem Überschwang auf Alastairs schüchterne Annäherungsversuche. Ministerium um Ministerium schickte dicke Bündel von Formularen und Fragebogen und stapelte begeistert die zurechtgefeilten Statistiken, die Alastair ihnen zukommen ließ.

Die Raumschiffe, die Acrostic I früher vielleicht alle fünf Jahre angeflogen hatten, landeten nun jeden Monat. Sie brachten neben Papier Devisen; sie nahmen neben Papier Gerüchte mit. Allerheiligen mauserte sich. Die Kaschemmen wurden in Nebengassen verdrängt; die Werbeplakate für Spielsalons und Tingel-Shows wichen allmählich Reklamen für reinen Atem und Desodorants.

Der Besucherstrom nahm ständig zu. Das mag nur demjenigen merkwürdig erscheinen, der die menschliche Natur nicht kennt. Kein Tourist gesteht gerne, daß man ihn hereingelegt hat. Und so sickerte zwar allmählich die Wahrheit über die armselige Fauna von Acrostic I durch, aber die Leute wußten Großartiges über die Landschaft und die lokalen Bräuche zu berichten. (Vom Wetter redeten sie nicht.) Bald gehörte es zum guten Ton, ›dem kleinen Paradies am Rande von Smith's Burst‹ einen Besuch abzustatten.

Und New York sammelte fleißig Alastairs Berichte.

Dann, über Nacht, stockte der Informationsfluß. Die Behörden antworteten mit einer vermehrten Flut von Fragebogen. Was hatte sich auf Acrostic I zugetragen? War eine Revolte ausgebrochen? Oder eine Seuche? Und wenn ja, wie viele Prozent der (a) männlichen und (b) weiblichen Bevölkerung hatten den Tod gefunden?

Die Verwaltung von Acrostic I lag bequem im Korbsessel und gönnte sich eine Rast. Ach ja, Nathaniel, ich vergaß dir zu sagen, daß Acrostic I einen Mond hat, ein schäbiges kleines Ding namens Rose, das nur am Tage erschien. Alastair nun skutterbuckte und las etwas, das ihm großen Genuß bereitete. Einer der ersten Touristen von Allerheiligen, den man gründlich gefilzt und dann ins Schuldgefängnis geworfen hatte, war unter die Dichter gegangen. ›Es blüht eine Rose am Firmament‹ hieß das Werk, das aus seiner Feder stammte. Es war kein übermäßig gelungenes Gedicht, aber immerhin das erste Literaturerzeugnis von Acrostic I. Der Planet machte sich ...

Eine gewisse Zeit verstrich, und die Aufregung in New York erreichte ihren Höhepunkt. Dann schickte Alastair eine kurze Notiz an die Welten-Regierung: Seine Verwaltung sei vollkommen überlastet, und er benötige dringend einen XIVIC-Computer.

Postwendend versprach man ihm, ein betriebsfertiges Gerät gewünschter Bauart aufzustellen.

Alastair triumphierte. Überlege selbst, Nathaniel! Diese XIVICer sind selbst für unsere Begriffe gigantische Apparate. Da sie immer im Besitz der Erde blieben und von terranischen Technikern gewartet wurden, konnte man sie in der Kolonialpolitik durchaus als Druckmittel einsetzen. Noch nie zuvor hatte man einen solchen Computer auf einem Planeten mit weniger als einer Milliarde Wählern errichtet. Acrostic I hatte hingegen alles in allem nur knappe fünfzigtausend Bewohner.

Aber die Krönung des Triumphs war für Alastair die Unterschrift, die er auf jener Botschaft von der Erde entdeckte: Lady Vera Manchester IXA. Alastair sah einen baldigen Sturz der rachsüchtigen Dame voraus.

Zwei Regierungsschiffe landeten am Rande von Allerheiligen. Aus den Schleusen quollen Menschen und Maschinen. Tag und Nacht, bei gutem und bei schlechtem Wetter, bauten Spezialisten den Computer auf. Die Schiffe machten kehrt, um Ersatzteile zu holen. Geld floß in Strömen nach Allerheiligen, das nun zum Regierungssitz avanciert war. Zum erstenmal zeigten sich die Farmer beinahe zufrieden mit den Preisen, die sie für ihre Produkte erzielten. Alastair, im Grunde seines Herzens ein gutmütiger Bursche, freute sich, daß sein Plan auch anderen zugute kam.

Die Erde widmete sich mit missionarischem Eifer dem Projekt, bis ein Schiff die traurige Nachricht heimbrachte: Der XIVIC-Computer konnte niemals funktionieren, da es auf Acrostic I keine hydroelektrische Energie gab!

Ein Sturm der Entrüstung brach los. Alastair wehrte die Vorwürfe gelassen ab. Kein Mensch habe ihn nach der Betriebsenergie gefragt; außerdem seien sämtliche Fakten über den Planeten in den Statistiken niedergelegt, welche die Erde in regelmäßigen Abständen verlange und auch erhalte.

Das nächste Raumschiff spuckte eine Meute ängstlicher Wissenschaftler aus. Ängstlich waren sie, weil man ihnen für den Fall eines Versagens strenge Strafen in Aussicht gestellt hatte. Es galt, um jeden Preis eine Energiequelle auf Acrostic I zu entdecken . . .

Die Männer brachten bald heraus, was Alastair längst wußte. Acrostic I wurde seit grauen Vorzeiten von den Naturelementen beherrscht: Sonne, Wind, Frost und Regen hatten sämtliche Gebirge zerfressen und zersetzt. Übrig blieb eine glatte, staubbedeckte Billardkugel. Die wenigen Flüsse wälzten sich träge und seicht durch das Land. An den Meeresufern breiteten sich meilenweit Sümpfe aus. Von hydroelektrischer Energie konnte keine Rede sein.

Die Wissenschaftler spalteten sich in zwei Lager. Eine Gruppe forderte von der Erde Bohrtürme und Ausschachtungsgeräte an und verteilte sich in der Wildnis, um nach Kohle und Erdöl zu suchen; die andere murmelte vage von einer wirtschaftlichen Nutzung der Gezeiten und versumpften in den Kaschemmen von Allerheiligen. Um der Wahrheit die Ehre zu geben — es war noch eine dritte Gruppe da, Leute, die sich vielsagend an die Stirn tippten und unauffällig wieder in Richtung Erde verschwanden.

Das Schiff, das sie mitnahm, brachte Alastair einen Brief von Jungfrau Rosalynd, die ihrem Geliebten immer noch die Treue hielt. An ihr, Nathaniel, könnte sich manche unserer Frauen ein Beispiel nehmen.

Sie schrieb, daß es ihr gut gehe, daß sie Sehnsucht nach ihrem süßen, klugen Gouverneur habe und daß sie seit kurzem zur Nachfolgerin der Obersten Lady nominiert sei. Außerdem besäße Acrostic I einen guten Klang auf der Erde, die possierlichen Äffchen seien als Haustiere in Mode, und es gäbe inzwischen eine Reihe weiterer Planeten, die freiwillig die Fragebogen der Welten-Regierung ausfüllten. Jungfrau Rosalynd schloß mit dem Hinweis, daß ein neutraler Untersuchungsausschuß nach Acrostic I unterwegs sei.

Eben dieser Untersuchungsausschuß besiegelte Alastairs Erfolg. Die Bevölkerung verdoppelte sich beinahe über Nacht, da ein Komitee nach dem anderen hereinschneite, um nach dem Rechten zu schauen. Es folgten Reporter, Fernsehmanager und Filmleute. Diese wiederum zogen Neugierige an. Es kamen die ersten Ausbeuter und Hochstapler, die ersten Rechtsanwälte ließen sich nieder.

Es tat sich allerhand.

Nach zwei Jahren gab der Untersuchungsausschuß einen Bericht heraus, doch zuvor hatte die Welten-Regierung bereits in einem Anfall von Popularitätsstreben beschlossen, Acrostic I ein Atomkraftwerk zu schenken. Wieder quollen Menschen und Maschinen aus den Schiffsbäuchen. Der XIVIC-Computer wurde in Betrieb gesetzt und fand inzwischen auch genügend Arbeit vor. Dank Alastairs Politik war Acrostic I auf dem Wege nach oben.

Aber davon später. Zuerst einmal kam der Bericht. Der Untersuchungsausschuß fällte das vernichtende Urteil, daß die Welten-Regierung so und so viele Milliarden Volksvermögen sinnlos verschleudert haben. Mit anderen Worten — irgendwo mußten Köpfe rollen.

Alastair blieb trotz seines Sieges bescheiden; er war seit seiner Ankunft auf Acrostic I gereift. Beinahe tat es ihm leid, daß man Lady Vera absetzte, weil man ihr die Schuld am Versagen der Welten-Regierung gab. Und als man ihn bat, nach Sconn zurückzukehren, empfand er keine rechte Lust dazu. Er fragte Jungfrau Rosalynd, ob sie nicht nach Acrostic I kommen wolle.

Sie schrieb zurück, man habe sie soeben zur Obersten Lady bestimmt und sie sei daher auf der Erde unabkömmlich; könnte nicht er . . .?

Nach einigen Zögern fügte er sich. Ein Mann mit mehr Charakter wäre am Ort seines größten Erfolges geblieben, aber die Menschen sind nun mal komisch — wir auch, Nathaniel, wir auch.

Wie unendlich wohl es dem Herzen tat, wieder daheim zu sein! Der Abend senkte sich über Afrika wie die sanfte Hand einer Mutter und erfüllte mich mit Frieden. Nichts ließ die Katastrophe ahnen, die sich bereits in dieser Stunde anbahnte.

Mein Halbbruder K-Jubal (wir hatten den gleichen Vater) bestritt den Hauptanteil der Unterhaltung, während wir auf der Veranda seines Hauses saßen — und das war ungewöhnlich, denn der Dichter in der Familie bin ich.

». . . weil der neue Damm jetzt fertig ist«, sagte er gerade. »Von nun an kann ich mir etwas Muße gönnen. Ich werde meine Memoiren schreiben, Rog. G-Williams von der *World Weekly* drängt mich schon seit geraumer Zeit dazu; eine hübsche Nebeneinnahme, was?«

Er lachte breit; in meiner Gegenwart hatte er schon immer gern den Kapitalisten gespielt. Im allgemeinen bestärkte ich ihn, und so sagte ich auch diesmal: »Jubal, kein Mensch im Kongo, vielleicht kein Mensch auf der ganzen Erde, hat mehr für sein Volk getan als du. Ich bin die faule Grille, die den Sommertag genießt, aber du — nun, deine Werke liegen vor dir.«

Ich umfaßte mit einer Geste das stille helle Land.

Mokulgu ist eine aufstrebende Stadt am Nordwestufer des Tanganjikasees. Bevor Jubal mit seinen Ingenieuren hierherkam, war sie ein schläfriger Markt, dessen Bewohner träge in den Tag lebten wie unzählige Generationen vor ihnen. Fünfzehn Jahre später hatte sich alles verändert. Saubere Hochhäuser ragten in den Himmel, die Fliegen verdarben das Essen nicht mehr, Betten hatten die Strohlager ersetzt, und durch die Straßen dröhnte der Lärm von Motoren und Maschinen. Wir besaßen alle Vorzüge der sogenannten ›westlichen Kultur‹. Hygiene und Fortschritt machten die Menschheit angeblich glücklicher.

Aber ich merke, daß meine Worte skeptisch klingen. Das ist mein Fehler. Leider habe ich nun mal ziemlich wenig für meine Mitmenschen übrig; der Gedanke an das Massaker begleitet mich überallhin, selbst jetzt noch, nach all den Jahren. Gewiß, die Verstädterung von Orten wie Mokulgu war nicht aufzuhalten; aber ich bedauerte, daß das Vordringen der Technik immer Hand in Hand mit der Zerstörung der Natur ging. Daß schon in diesem Moment ein Gegenschlag vorbereitet wurde, wußte ich nicht.

Von der Veranda aus sahen wir den See und einen Teil der Stadt. Der Waldgürtel, der dieses Gebiet gesäumt hatte, war längst abgeholzt. In der Stadt flammten die ersten Lichter auf, und der See erinnerte an ein dunkles Tier, das sich zur Ruhe begab. Zu unserer Linken erstreckten sich die dichten Dschungel der Kongo-Quellflüsse.

Etwa dreihundert Meilen dieser Region waren noch unzerstört. Die Pygmäen, die hier lebten, kamen ganz ohne die Errungenschaften unserer Zivilisation aus. Der Dschungel sollte als nächstes fallen; Jubal hatte es sich fest vorgenommen. Aber zumindest in meiner Generation würde dieses Stück urwüchsiger Schönheit noch erhalten bleiben, und der Gedanke tröstete mich. Ein Baum hatte mir schon immer mehr Freude bereitet als eine günstige Bevölkerungsstatistik.

Jubal las wohl aus meiner Miene, was ich dachte.

»Die Energie, die hier frei wird, reicht für Jahrhunderte«, sagte er. »Sie verändert bereits jetzt unsere gesamte Wirtschaft. Endlich — endlich erkennt Afrika sein Potential.«

Seine Stimme zitterte vor Erregung, und ich überlegte insgeheim, ob dieser leidenschaftliche Fortschrittsglaube das Geheimnis seiner Kraft war.

»Du klammerst dich zu sehr an die Vergangenheit, Rog«, setzte er hinzu.

»Weshalb müßt ihr sämtliche Flüsse ausbaggern, unterhöhlen, betonieren?« entgegnete ich. »Wäre ein Atomkraftwerk nicht die einfachere Lösung gewesen?«

»Nein«, erklärte er mit Nachdruck. »Sobald das Projekt

anläuft, kostet es uns keinen Pfennig mehr. Wir besitzen nicht sehr viel Uran. Wasser dagegen gibt es in Hülle und Fülle. Übrigens — stimmt es, daß man auf der Venus bis jetzt kaum radioaktive Stoffe gefunden hat?«

Damit forderte mich Jubal auf, das Thema zu wechseln. Ich tat ihm den Gefallen.

»Ja, das habe ich auch gehört«, sagte ich. »Allerdings bin ich kein Experte. Ich bereiste den Planeten als Tourist.«

»Es muß herrlich sein, der Sonne ein Stück näherzukommen«, meinte er. Jubal gebrauchte oft so abgedroschene Phrasen, aber bei ihm klangen sie irgendwie erhaben. »Schade, daß mich die Arbeit hier nicht fort läßt. Du hast sicher großartige Dinge gesehen, Rog.«

»Mag sein — aber nichts so Großartiges wie etwa eine unserer Elefantenherden.«

»Und in zehn Jahren ist die Atmosphäre so weit verändert, daß man den Planeten ohne Raumanzug betreten kann?«

»Das wird behauptet. Was die Leute auf der Venus leisten, grenzt an Wunder. Weißt du, Jubal, wenn es einmal so weit ist, gehe ich vielleicht wieder hin. Man spürt etwas Besonderes, eine Art Vorfreude — nein, eigentlich etwas anderes. Ich kann es schwer erklären . . .« Wenn ich Jubal etwas Wichtiges sagen will, gerate ich immer ins Stammeln. Mit einer Frau könnte ich darüber sprechen; ich könnte es auch niederschreiben. Aber Jubal ist ein Mann der Tat, und in seiner Gegenwart vermeide ich alles, was mit Gefühlen zu tun hat. Dadurch klangen meine Worte irgendwie albern. »Es ist, als sähst du ein schönes Mädchen durch eine Trennwand. Immer hast du eine luftdichte Kuppel oder einen Raumanzug zwischen dir und der Wirklichkeit. Aber in zehn Jahren kannst du vielleicht mit bloßen Fingern im Sand wühlen und den Wind im Haar spüren. Du verstehst, was ich meine — man will die nackte Haut des Mädchens berühren, streicheln . . .«

Ich sah ihm an, was er dachte: ›Rog mit seiner Poesie!‹ Laut sagte er: »Und du billigst das — den Umbau der Atmosphäre?«

»Natürlich.«

»Aber das, was wir hier schaffen, behagt dir nicht, obwohl es im Grunde das gleiche ist?«

So ganz unrecht hatte er mit seinem Einwand nicht.

»Ihr bringt das genau ausgewogene Gleichgewicht der Natur ins Wanken«, sagte ich behutsam. »Ihr mißachtet tausend ökologische Faktoren, nur damit das Wasser durch eure Turbinen läuft. Bei den Owen-Fällen drüben am Viktoriasee spielt sich übrigens das gleiche ab ... Die Venus dagegen ist wie ein leeres Blatt Papier, das darauf wartet, von der Hand des Menschen beschrieben zu werden. Unter der Kohlendioxyddecke gab es bisher keinen Funken Leben. Die Berge sind nackt und kahl, in den Tälern wächst kein Grashalm. Die geologischen Schichten enthalten keine Fossilien, und in den Meeren schwimmen nicht einmal Amöben. Was du hier machst ...«

»Menschen!« unterbrach er mich. »Ich muß an die Menschen denken! Kinder kommen auf die Welt. Sie wollen ernährt werden. Deine Gefühle in Ehren, Rog — sie eignen sich gut für *Gedichte*. Aber ich muß auf *Menschen* Rücksicht nehmen. Ich *liebe* die Menschen. Ihnen gilt mein ganzer Einsatz ...«

Sein eigenes Pathos überwältige ihn. Wenn Jubals Kraft im Fortschrittsglauben begründet war, so lag auch seine Schwäche in dem Trugschluß, den die Idee barg. Ich erhitzte mich allmählich.

»Du bietest der Menschheit ein sorgenfreies Leben, und sie vermehrt sich stärker. In der nächsten Generation tritt wieder ein Wohltäter auf, der noch bessere Voraussetzungen schafft — und so geht es weiter. Das nennst du Fortschritt?« fragte ich boshaft.

»Rog, wir sehen uns so selten«, entgegnete er mit leisem Tadel. »Müssen wir unbedingt streiten? Ich tue, was in meiner Macht steht. Aber ich bin nun mal nur Ingenieur.«

Auf diese Weise siegte er immer. Gegen seine Unterwürfigkeit besitze ich keine Waffe.

Die Sonne war untergegangen, und mit der plötzlich hereinbrechenden Nacht kam Kühle. Jubal drückte auf einen Knopf. Glaswände glitten aus unsichtbaren Fugen und hüllten die Veranda ein. Wie auf der Venus, dachte ich, aber hier umgab uns der schwüle Atem Afrikas.

Wir tranken Wein und sprachen über Familiendinge. Nach einer Weile gesellte sich Sloe, Jubals Frau, zu uns. Auch J-Casta, die rechte Hand meines Bruders, tauchte auf. Seine Gegenwart störte mich ein wenig. Er war ein brutaler Streber, der sich überall als Boß aufspielte und nur vor Jubal kuschte. Er gehörte zu den unangenehmen Zeitgenossen, die das Massaker für die größte Leistung unserer Rasse hielten. An diesem Abend benahm er sich zum Glück einigermaßen zurückhaltend.

Im Haus begann das Videofon zu summen. Gleichzeitig blinkte schläfrig ein gelbes Licht. Ich ahnte immer noch nicht, daß dies der Beginn der Katastrophe war. Seit jenem Tag jedoch spürte ich ein Kribbeln, wenn irgendwo ein Videofon-Lämpchen aufleuchtet.

Jubal ging hinein und drückte auf die Taste. Im 3-D-Tank zeigten sich die Gesichtszüge eines Fremden. Ich verstand nicht, was er sagte, aber ich spürte die plötzliche Anspannung, die Jubal erfaßte. Sloe ging zu ihrem Mann und legte ihm einen Arm um die Schulter.

»Da hat es Kummer gegeben«, meinte J-Casta.

Ich nickte.

»Das ist Chefingenieur M-Shawn von Owenstown, drüben am Viktoriasee.«

Jubal beendete das Gespräch und kehrte mit schleppenden Schritten zu uns zurück.

»M-Shawn hat eine Warnung durchgegeben«, sagte er knapp. »Der Wasserspiegel des Viktoriasees ist um zehn Zentimeter gefallen.« Mit zitternden Fingern steckte er sich eine Zigarrre an. Ich merkte, daß er angestrengt nachdachte.

»Der Damm, Boß?« erkundigte sich J-Casta.

»Ist in Ordnung. Sie rufen uns an, sobald sie etwas entdecken.«

»Hat sich so etwas schon des öfteren zugetragen?« wollte ich wissen. Ich verstand ihre besorgten Blicke nicht so recht.

»Um Himmels willen!?« Mein Halbbruder schüttelte den Kopf. »Begreifst du denn nicht, daß sich hier etwas Außergewöhnliches abspielt?«

»Eine leichte Senkung des Seespiegels — ich bitte dich . . .«

Er lachte spöttisch. Selbst J-Casta sah mich mit unverhohlener Geringschätzung an.

»Der Viktoriasee ist ein Binnenmeer von der Größe Tasmaniens«, erklärte Jubal düster. »Wenn der Pegel um zehn Zentimeter sinkt, dann heißt das, daß irgendwo viele tausend Tonnen Wasser abfließen. Casta, wir fliegen nach Mokulgu! Es kann nicht schaden, wenn wir die Damm-Aufsicht verständigen.«

»Gut, Boß. Ich mache den Gleiter startklar.«

Jubal tätschelte Sloes Arm, nickte mir zu und verließ das Haus. Seine Miene verriet tiefe Besorgnis. Kurze Zeit später stieg der Gleiter auf und jagte dicht über die Wipfel der Walnußbäume hinweg.

Nervös legte Sloe ihre Zigarre weg. Sie drückte auf einen Knopf, und die Glaswände der Veranda verdunkelten sich.

»Da draußen scheint irgend etwas zu lauern«, sagte sie, wie um ihr Tun zu entschuldigen.

»Müßte ich jetzt beunruhigt sein?« fragte ich sie.

Sie warf mir ein Lächeln zu. »Offen gestanden — ja. Du lebst nicht in unserer Welt, Rog, sonst hättest du sofort erraten, was am Viktoriasee geschehen ist. Man hat erst vor kurzem einen Teil des Wassers abgelassen, weil man mehr Druck auf die Turbinen benötigt. Zum Glück brachten die schweren Regenfälle der letzten Wochen einen gewissen Ausgleich.«

»Aber worin liegt der Grund für das Absinken des Wasserspiegels? Ist der Damm irgendwo undicht?«

»Nein. Das hätte sich rasch feststellen lassen. Ich befürchte eher, das Seebett ist an einer Stelle eingebrochen und das Wasser fließt jetzt in unterirdische Reservoire ab.«

Jetzt erkannte auch ich den Ernst der Lage. Der Viktoriasee ist die Quelle des Weißen Nils; wenn er den Fluß nicht mehr speiste, kamen in Uganda und dem Sudan Millionen Menschen um. Und nicht nur Menschen — auch den Vögeln, Fischen, Insekten und Pflanzen drohte der Tod.

Uns hielt es nicht mehr auf der Veranda. Immer wieder traten wir in die Nacht hinaus und horchten, bis wir uns schließlich selbst in die Stadt begaben. Unterwegs sah ich nur ein Bild vor mir — den Riesensee, der sich wie ein Waschbecken leerte, wenn man den Stöpsel herauszog. Lief das Wasser lautlos ab, oder gurgelt es? Männer der Tat haben für solche Einzelheiten nicht viel übrig.

Trotz des herrlichen Vollmonds, der über dem Mount Kangosi stand, gelang es mir nicht mehr, meine gelöste Stimmung wiederzufinden. Wir gesellten uns zu Jubal und J-Casta und schlugen die Zeit bis gegen Mitternacht tot. Danach, als hätten wir einen unbekannten Gott durch den geopferten Schlaf versöhnt, fühlten wir uns besser und gingen zu Bett.

Jubal war bereits wieder in der Stadt, als ich am nächsten Morgen zum Frühstück herunterkam. Er hatte die Nachricht erhalten, daß der Spiegel des Viktoriasees inzwischen um fünfunddreißig Zentimeter gesunken war — und das Wasser schien immer rascher abzulaufen.

Ich flog nach Mokulgu und entdeckte meinen Bruder, als er eben mit J-Casta einen Gleiter der Damm-Aufsicht bestieg.

»Du kannst uns begleiten, Rog!« rief er. »Vielleicht macht dir der Flug mehr Spaß als uns.«

Ich erfuhr, daß man bei früheren Luftaufnahmen am Ostufer des Tanganjikasees eine Stelle entdeckt hatte, die irgendwie aufgewühlt schien. Nun wollte Jubal selbst nach dem Rechten sehen.

»Du glaubst doch nicht, daß auch hier das Seebett einbrechen könnte?« erkundigte ich mich.

»Das nicht«, entgegnete Jubal. »Aber in dem zweihundert

Meilen breiten Streifen zwischen hier und dem Viktoriasee gibt es eine Menge geologischer Verwerfungen. Ich zeige dir daheim eine Karte mit dem Schichtenverlauf. Es ist mehr als wahrscheinlich, daß das versickernde Wasser in unsere Richtung abläuft. Davor habe ich Angst. Wir wissen seit langem, daß diese Gefahr besteht.«

»Und ihr habt dennoch keine Vorsichtsmaßnahmen getroffen?«

»Was konnten wir tun – außer die Daumen halten? Es besteht auch die Gefahr, daß der Mond eines Tages in den Anziehungsbereich der Erde gerät, aber leben wir deshalb in Bunkern?«

»Du versuchst dich zu rechtfertigen, Jubal«, sagte ich.

»Möglich.« Er sah mich nicht an.

Ein Regenschauer prasselte nieder und schlug kleine Krater in die graue Fläche des Sees. Dann befanden wir uns über dem Störungsherd: Vom steilen Felsufer aus führte ein ausgedehnter brauner Fleck etwa eine halbe Meile in den See hinein.

»Landen!« befahl Jubal, und der Pilot senkte die Maschine, bis sie das Wasser berührte. Einige hundert Meter von uns entfernt ragte der Kangosi auf; ein Pfahldorf duckte sich in seinem Schatten.

»Lassen Sie mich nur machen, Boß!« meinte J-Casta großspurig. Er holte ein Hand-Sonar aus dem Geräteschrank und kletterte auf die Schwimmfläche hinaus. Der Fleck schien von einem Riß im Steilufer des Sees auszugehen. Jubal erklärte mir, daß sich in dieser Gegend des öfteren Spalten bildeten, aber man müsse genau nachprüfen, welchen Verlauf sie nahmen. Wenn eine Verbindung zum Viktoriasee bestand ...

»Wir bekommen Gesellschaft«, sagte ich und deutete über das Wasser.

Ein Stück vom Ufer entfernt lagen eine Anzahl Kanus. Fischer mit geschmeidigen Muskeln und dunkelglänzender Haut gingen ihrer täglichen Arbeit nach. Seit Urzeiten hatte sich an ihrem Leben nichts geändert. Vielleicht kommt eines Tages der große Aufstieg dieser einfachen Leute, wenn alle anderen Rassen zurückgefallen sind, ausgebrannt und erschöpft. Es wäre schön, in einem ihrer Reiche zu leben.

Ein Mann in einem der vorderen Kanus erhob sich und winkte uns zu. Ich erwiderte seinen Gruß. Dabei warf ich zufällig einen Blick zur Flanke des Berges hinüber.

Etwa dreißig Meter oberhalb der Uferklippen wuchsen zwei herrliche Mvules — afrikanische Teakbäume. Aus einer der Kronen stürzte sich plötzlich kreischend ein porzellanblauer Vogel und stob über das Wasser hin, als versuchte er seinem Spiegelbild zu entkommen. Und der Baum selbst begann langsam nach vorn zu kippen.

Meine Neugier war geweckt. Ich griff nach dem Feldstecher, den Jubal umhängen hatte. Im gleichen Moment schoß aus dem Wurzelwerk der Mvules eine Wassersäule. Ein Felsblock wurde zur Seite gedrückt. Er kollerte in einer Lawine Staub und Steinen den Hang herab und verfehlte die strohgedeckten Dächer des Dorfes um Haaresbreite. Eine breite Wasserzunge bahnte sich ihren Weg nach unten. Es war ein herrlicher Anblick, wie die Tropfen in der Sonne sprühten — aber ich hatte Angst.

»Da!« Ich deutete hinüber.

Jubal und der Mann im Einbaum folgten mit den Blicken meinem ausgestreckten Finger. J-Casta beugte sich immer noch über sein Metallkästchen.

In diesem Augenblick erzitterte die Klippe, und der zweite Mvule stürzte. Eine Querspalte durchzog den Felsen. Aus dieser neuen Öffnung donnerte das Wasser in einem schäumenden Katarakt in die Tiefe.

Bäume, Sträucher und Felsbrocken wurden mitgeschwemmt. Das Krachen und Splittern drang bis zu uns herüber. Immer weiter brach der Berg auf. Der Wasserwall erfaßte das Dorf und riß es in den See.

Dann geriet der gesamte untere Berghang ins Rutschen.

Schlamm und Geröll wälzte sich über die Böschung. Die Wasser des Viktoriasees hatten einen Weg ins Freie gefunden.

In Sekundenschnelle verwandelte sich der ruhige, glatte See in ein Chaos. Vom Ufer her kamen meterhohe Wellen auf uns zu. Jubal rutschte aus und fiel auf die Knie. Ich hielt ihn fest und wäre um ein Haar selbst über Bord gegangen. Ein heftiger Schlag, noch einer — und der schwache Gleiter kippte.

Keuchend und prustend tauchte ich aus der Flut. Dicht neben mir schwamm J-Casta. Wir sahen, wie der Gleiter lautlos absackte; der Pilot hatte keine Chance. Armer Kerl, ich hatte nicht einmal sein Gesicht gesehen.

Der Aufprall der Wogen hatte auch die Fischer aus ihren Booten geschleudert. Aber Einbäume sinken nicht. Die Männer richteten sie wieder auf und halfen Jubal, J-Casta und mir aus dem aufgewühlten Wasser.

Der Durchbruch war nun eine Viertelmeile breit. Wir mußten einen weiten Umweg machen, bis wir eine Stelle zum Anlegen fanden.

Für den Rest jenes Tages, der soviel Angst und Verwirrung auslöste, wölbte sich ein gleißend heller Himmel über uns.

Es dauerte zweieinhalb Stunden, bis man uns vom Ufer abholte. Wie durch ein Wunder hatten die meisten Frauen und Kinder des Fischerdorfes die Katastrophe überlebt. Wir halfen ihnen an Land und entfachten große Feuer für sie. Obwohl es genug zu tun gab, fluchte Jubal unentwegt, daß ihm die Hände gebunden seien.

Inzwischen begannen Suchflugzeuge der Damm-Aufsicht über dem Katastrophengebiet zu kreisen. Ein Pilot entdeckte uns und landete. Jubal veränderte sich sofort. Jetzt, da er Männer zur Verfügung hatte, denen er Befehle erteilen konnte, arbeitete er mit verbissener Zielstrebigkeit.

Per Videofon rief er die übrigen Maschinen herbei, und seine Leute kümmerten sich um die Dorfbewohner. Wir selbst machten uns auf den Rückflug nach Mokulgu.

Unterwegs nahm Jubal Verbindung mit Owenstown auf.

Wir erfuhren, daß der Wasserspiegel des Viktoriasees immer noch sank, wenn auch nicht mehr so rasch wie am Anfang. Man hatte auf dem Grund eine drei Quadratmeilen große Einbruchstelle entdeckt. Ein Airlift schleppte unentwegt Tonnen von Felsgestein herbei und warf sie über dem Riß im Seebett ab. Vier Froschmänner waren in der Tiefe verschwunden.

»Das ist, als würde man Kupfermünzen ins Meer werfen«, murmelte Jubal.

Ich dachte an die vier Froschmänner, die der Sog mitgerissen hatte. Vielleicht tauchten ihre Leichen irgendwann in unserem See auf.

Kurz bevor wir zur Landung ansetzten, erhielt Jubal aus Mokulgu die Nachricht, daß zwanzig Meilen nördlich der Stadt der Uferdamm gebrochen sei. Wir schwenkten sofort ab, um an Ort und Stelle nach dem Rechten zu sehen.

Der Gleiter setzte in einem schäbigen Dorf mit dem klangvollen Namen Ulatuama auf. Die Besatzung eines Patrouillebootes arbeitete fieberhaft daran, das Loch in der Kaimauer zu flicken. Der Schaden war an einer längst nicht mehr benutzten Schleuse entstanden, einem Überbleibsel des einstigen Bewässerungssystems. Die gleichen Wellen, die unseren Gleiter versenkten, hatten sie eingedrückt. Dahinter erstreckte sich ein Kanal, dessen ausgetrocknetes Bett sich nun mit Wasser füllte.

»Nimm die Sache nicht so tragisch«, versuchte ich Jubal zu trösten. »Auf diese Weise findet das überschüssige Wasser wenigstens einen Ablauf.«

Er warf mir einen vernichtenden Blick zu. »Wohin kämen wir, wenn wir die Herrschaft über die Naturgewalten verlören?« fragte er. »Geben wir uns erst einmal geschlagen, dann fließt das Wasser aus dem Viktoria- *und* Tanganjikasee in den Kongo.«

Noch während er das sagte, gab die Kaimauer südlich der Schleuse nach; ein paar Meter Beton knickten ein und zerbröckelten, und sofort ergoß sich der Strom in die Lücke.

Wir flogen zurück nach Mokulgu. Jubal bat den Bürgermeister um die Erlaubnis, einen Aufruf an die Bevölkerung der Stadt durchzugeben. Ich hörte nicht, was er sagte; bei mir hatte die Reaktion eingesetzt. Ich zog mich in einen stillen Winkel zurück, und Sloe, die meine Verfassung erkannte, huschte auf Zehenspitzen durch das Haus. Natürlich wußte ich auswendig, welche Phrasen Jubal an den Mann bringen würde — von »der Nation, die in dieser Zeit der Krise stärker als je zusammenhalten müsse« bis zum Kampfaufruf »gegen unsere alte Widersacherin Natur«. Dazu ballte er dann die Fäuste, und seine Augen blitzten. Jubal kam bei der Masse an, denn er war selbst überzeugt von dem Blabla, das er verbreitete. Vielleicht beneidete ich meinen Halbbruder.

Am Nordufer begannen freiwillige Helfer die Uferbefestigungen zu verstärken. Jubal dachte sich inzwischen einen bombastischen Plan aus, der wieder einmal typisch für ihn war. Er nahm *Tilly*, einen großen Seedampfer, in den Dienst der guten Sache, ließ ihn mit Felsbrocken und Lehm beladen und stand höchstpersönlich auf der Kommandobrücke, als das Schiff das Zentrum des Gefahrenherdes ansteuerte und dort versenkt wurde. *Tilly* bildete den »Grundstein« zu einem neuen Damm, der ein paar Meter vor der zerstörten Ufermauer errichtet werden sollte. Eine begeisterte Menschenmenge feierte Jubal, als er sich zusammen mit der Schiffsmannschaft »in letzter Sekunde« in Sicherheit brachte.

»Und wenn wir uns mit unseren Körpern dem Strom entgegenwerfen müßten, wir geben nicht auf!« rief er. Der Jubel, der aufbrandete, bestätigte, daß er wieder einmal die richtigen Worte gewählt hatte.

Nach zwei Tagen hatte die Krise ihren Höhepunkt erreicht. Es regnete ununterbrochen, und die Freiwilligen blieben immer wieder im Schlamm und Morast stecken. Jubals Popularität — und damit sein Einfluß — sank rapide. Dafür gab es zwei Gründe: Einmal bekam er Streit mit seinem engsten Mitarbeiter J-Casta, weil er dessen Vorschlag, den neuen Damm zu öffnen, um damit den Druck herabzusetzen, strikt ablehnte.

Zum anderen stellte sich die Stadtverwaltung von Mokulgu gegen ihn.

Man nahm ihm die Sache mit der *Tilly* übel. Das Schiff gehörte der Stadt, und Jubal hatte es sich widerrechtlich angeeignet. Gleichsam aus Rache rief man die Männer, die ihre Arbeit niedergelegt hatten, um am Damm auszuhelfen, zurück in die Fabriken und erklärte, die Damm-Aufsicht solle ihre Angelegenheiten gefälligst selbst in Ordnung bringen.

Jubal hatte nur ein spöttisches Lächeln für die Kleinstädterpolitik übrig. Er führte ein kurzes Gespräch mit Leopoldville, und im Nu half ihm die Armee.

Im Morgengrauen des dritten Tages rief er daheim an und bat mich, zu ihm zu kommen. Ich verabschiedete mich von Sloe und flog mit einem Gleiter nach Ulatuama.

Jubal stand allein am Ufer. Er wirkte grau und eingefallen. Im Hintergrund bewegten sich schemenhafte Gestalten durch den Frühnebel. Er warf mir einen sonderbaren Blick zu, bevor er zu sprechen begann.

»Wir haben es fast geschafft, Rog«, sagte er. Er sah aus, als hätte er Schlaf dringend nötig, aber er fügte entschlossen hinzu: »Dann müssen wir uns um diesen Wasserfall kümmern.«

Ich warf einen Blick über den stillen See. Das gegenüberliegende Ufer war nicht zu erkennen, aber der Kangosi erhob sich aus den Nebelschichten. Selbst aus dieser Entfernung hörte man schwach das Dröhnen des neuen Katarakts. Und es drang noch ein Laut an mein Ohr, in unregelmäßigen Abständen, doch dafür um so unüberhörbarer. Einheiten der Armee warfen Bomben auf die Erdspalten. Man hoffte damit eine Barriere zu schaffen, die das Wasser des Viktoriasees aufhielt. Bis jetzt hatte man noch keinen Erfolg. Aber die Bomben verwandelten das Land in eine Mondlandschaft.

»Schade, daß man dich und Sloe so selten sieht«, sagte Jubal. Sein Tonfall gefiel mir nicht.

»Du hattest viel zu tun. Sloe rief dich hin und wieder per Videofon an.«

»Na ja. Komm mit in die Hütte, Rog!«

Wir schlenderten zu den Baracken hinüber, die man in aller Eile errichtet hatte. J-Casta schlüpfte gerade in ein Hemd, als wir den Raum betraten. Er nahm dabei nicht einmal die Zigarre aus dem Mund. Mürrisch nickte er mir zu. Ich spürte, daß er damit seine Abneigung gegen Jubal zum Ausdruck bringen wollte.

Dann stapfte er ins Freie. Sobald die Tür ins Schloß gefallen war, begann Jubal: »Rog, du mußt mir etwas versprechen!«

»Was denn?«

»Wenn mir etwas zustößt, möchte ich, daß du Sloe heiratest. Sie paßt gut zu dir.«

Ich verbarg meinen Ärger und entgegnete: »Du verlangst etwas Unmögliches von mir.«

»Weshalb? Ihr beide versteht euch ausgezeichnet.«

»Gewiß. Aber ich — nun, ich bleibe lieber frei. Jemand, der wie ich ein wenig außerhalb des Trubels steht und seine Beobachtungen macht, läßt sich nicht gern anketten. Sloe ist nett, aber . . .«

Wieder einmal stockte ich, weil ich es nicht fertigbrachte, meine Gefühle auszudrücken. Was mich an Frauen reizte, ist Charme, Esprit und Temperament. Schon deshalb bleiben die meisten meiner Bindungen flüchtig; ich liebe die Abwechslung. Sloe aber war, gelinde ausgedrückt, durch ihr Leben an Jubals Seite abgestumpft.

Er verstand mein Zögern absichtlich falsch.

»Willst du etwa behaupten, daß du bereits jetzt wieder genug von ihr hast? Du Schwein, ich weiß genau, daß ihr beide es hinter meinem Rücken treibt!«

Ich vergaß, unter welchem Streß er stand, und verlor die Beherrschung. »Schlag dir diesen Unsinn aus dem Kopf!« fauchte ich. »Du bist überreizt und wahrscheinlich ausgehungert nach Sex. Keine Angst, ich habe deine kleine Frau nicht angerührt — ich trinke lieber aus reinen Quellen!«

Er zog die Schultern hoch, ballte die Fäuste und stürzte auf mich los. Es war eine unangenehme Situation für mich. Ich hasse Gewalt, und ich glaube an die Macht des Wortes, aber in diesem Moment tat ich das einzig Mögliche: Ich sprang zur Seite und versetzte ihm einen Hieb dicht über dem Herzen.

Armer Jubal! Zweifellos hatte er den Streit vom Zaun gebrochen, weil er ein Ventil für seine Frustration im Kampf gegen die Naturgewalten brauchte. Und ich muß zu meiner Schande gestehen, daß es mir eine wilde Freude bereitete, ihn zusammenzuschlagen. Zum erstenmal erkannte ich vage, weshalb es zu Auswüchsen wie dem Massaker kommen konnte.

J-Casta warf sich zwischen uns und hielt mich am Handgelenk fest.

»Schluß jetzt!« knurrte er mich an. »Ich würde Ihnen die Arbeit gern abnehmen, aber jetzt ist nicht der rechte Moment dazu.«

Noch während er das sagte, erzitterte die Hütte. Wir torkelten umher wie Betrunkene.

»Was zum . . .«, begann Jubal und riß die Tür auf. Nebel, Bäume, fliehende Gestalten, der provisorische Damm, der uns auf einer lehmigen Woge entgegenkam . . . die Uferbefestigung gab nach.

Jubal versuchte die Tür wieder zu schließen, aber es war zu spät. Die Woge riß die Hütte aus ihrer schwachen Verankerung. Er schrie auf, als er gegen die Bretterwand geschleudert wurde.

Die Hütte tanzte wie eine Nußschale auf der gigantischen Flutwelle. Durch den trüben Schaum sah ich eine Holzpritsche auf mich zuschlittern. Ich warf mich gerade noch zur Seite. Sie durchbrach die Wand, und der Sog riß mich ins Freie.

Als ich aus dem Strudel auftauchte, war von der Baracke nichts mehr zu sehen. Die Strömung zerrte mich weiter. Es gelang mir, einen Baumstamm, der noch nicht entwurzelt war, zu umklammern. Als ich wieder Luft bekam, kletterte ich in die Krone.

Das Wasser breitete sich mit ungeheurer Geschwindigkeit aus. Es schob gelbe Schlammberge vor sich her. Mokulgu hatte noch eine halbe Stunde Zeit, dann wurden die ersten Häuser von der Flut erfaßt.

Die Sonne über mir hatte den Nebel vertrieben. Kleine rosa Federwolken schwammen am türkisblauen Himmel. Das Bild erinnerte an eine kitschige Ansichtskarte aus dem zwanzigsten Jahrhundert. Beinahe war ich froh, diese Geschmacklosigkeit zu sehen; sie paßte irgendwie zu dem Chaos, das mich umgab. Beinahe war ich froh — aber mir liefen die Tränen übers Gesicht.

»Ich erfuhr per Videofon, daß man dich aufgelesen hatte. Rog, glaubst du, daß Jubal . . .«

»Ich weiß es wirklich nicht. Er ist ein guter Schwimmer. Vielleicht finden sie ihn noch.«

Mokulgu war von der Flut überrollt worden. Die Überlebenden, ihrer Bleibe und Habe beraubt, hatten sich auf die höher gelegenen Gebiete zurückgezogen. Sloe hatte großzügig ihr Haus am Hang geöffnet und versorgte die Leute mit Suppe und mit Decken. Sie überwachte alles mit einer kühlen Gelassenheit, die ihre inneren Gefühle verbarg. Dafür war ich ihr dankbar. Sloes Gefühle durften mich nichts angehen.

Sie lächelte mir kurz zu, dann war sie wieder in der Menge verschwunden. Der Abend brach herein. Über dem Stimmengewirr hörte ich das dumpfe Gurgeln der Flut, ein Laut, der mich noch monatelang verfolgen sollte. Afrika blutete aus tödlichen Wunden, und der Mensch stand hilflos daneben und konnte nichts tun.

Die Wasser des Viktoria- und Tanganjikasees flossen nach Westen. Während die Dürrekatastrophe im Sudan und in Ägypten einundzwanzig Millionen Menschen dahinraffte, starben im Kongo beinahe ebenso viele durch Überschwemmungen und an Typhus.

Ich ahnte, was uns erwartete, als ich in Sloes überfülltem Wohnzimmer stand. Jubal war tot, und die afrikanische Nation lag im Sterben.

Die nächsten zehn Jahre würden nicht anders verlaufen als jene zehn Jahre des Massakers, in denen die Weißen niedergemetzelt wurden.

Nun rechnete die Geschichte mit uns Negern ab.

Dusty Miller und seine Frau hatten Glück. Nicht etwa, weil sie ein Jahr Urlaub machen konnten. Das konnte vom Esp-Inspektor aufwärts heutzutage jeder. Auch nicht, weil sie ihren Urlaub auf dem Merkur verlebten. Die neue Atmosphäre hatte zwar ihre Vorteile, aber noch war sie nicht stabil genug, und es kam häufig zu Wirbelstürmen. Und erst recht nicht, weil sie den Galaktischen Zoo besuchten. Der stand allen offen, die sich den Eintrittspreis leisten konnten. Nein, sie hatten Glück, weil sie den Zoo als millionster und millionerster Mensch betraten.

Zur Feier dieses Ereignisses gab der Direktor ein feudales Bankett und begleitete sie anschließend höchstpersönlich auf ihrem Rundgang.

»Ich mag ihn nicht«, wisperte Daisy.

»Schsch, er hört, was du sagst«, fauchte Dusty. Er hatte nicht so unrecht mit seinem Verdacht. Der Direktor verfügte wie alle Geschöpfe von Puss II über drei riesige Ohren.

Für Dusty war der Besuch ein Erlebnis, und er zeigte sich hellauf begeistert von jedem Geschöpf, das er sah. Seine Frau litt ein wenig darunter, daß sie einen Raumanzug tragen mußte. Sie bekam dabei jedesmal Asthma. Leider ließ sich diese Maßnahme nicht vermeiden, da jede Abteilung die Atmosphäre enthielt, die den Tieren am zuträglichsten war — und neun Zehntel dieser Atmosphären waren den Menschen nicht zuträglich.

Sie hatten die Lebewesen von Puss II besichtigt und einen Blick auf die Knitosaurier geworfen, Riesenkrebse, die ihre Panzer aus einer Art Seetang webten. Schließlich blieben sie vor einem hohen Kuppelbau stehen.

»Das hier ist unsere jüngste Errungenschaft«, sagte der Zoodirektor mit erhobener Stimme. »Eine Lebensform von Pogsmith, dem neuentdeckten Planeten . . .«

»Gab es um diese Welt nicht einen ziemlichen Wirbel?« fragte Daisy.

»Es gibt um jede neue Welt einen Wirbel«, entgegnete der Direktor streng. »Territorialrechte, etc. . . . .«

»Sollen wir hineingehen?« unterbrach ihn Dusty hastig. Er wußte seit langem, daß seine Frau ein wenig provinziell war, aber er mochte sie so. Der Direktor brauchte sich nicht aufzuspielen.

»Drücken Sie bitte auf den gelben Knopf an Ihren Helmrändern«, forderte der Direktor sie auf und ging mit gutem Beispiel voran. »Das erzeugt ein totes Feld um Ihr Gehirn und schützt Sie vor den Gedankenwellen des Geschöpfes.«

Er warf Daisy einen Blick zu, als wollte er sagen, bei ihr sei diese Vorsichtsmaßnahme unnötig. Dann traten sie ein.

Die Zoo-Abteilungen waren alle gleich angelegt. Eine spiralenförmige Beobachtungsrampe führte um eine riesige Glassitkuppel, in der man die fremden Tiere in ihrer heimatlichen Umgebung bestaunen konnte. An der vergitterten Eingangstür befand sich eine große Tafel mit den wichtigsten Informationen.

Die Beleuchtung war schwach.

»Niedriger Angstrømbereich«, erklärte der Direktor.

»Ich kann sie nicht erkennen«, meinte Dusty und blinzelte in das Halbdunkel.

»Es«, korrigierte sie der Direktor. »Wir konnten bisher nur ein einziges Geschöpf dieser Welt einfangen.«

»Und wie heißt es?«

»Äh — Pogsmith.«

»Wie der Planet? Ich dachte immer, man würde nur die dominante Rasse nach einem Planeten benennen.«

»Dieses Wesen stellt die einzige und damit dominante Rasse von Pogsmith dar, Mister Miller.«

»Ach so. Aber woher wissen Sie denn, daß es sich um ein Tier und nicht etwa um ein intelligentes Geschöpf handelt?«

»Nun, es *verhält* sich wie ein Tier.«

»Das ist doch kein — ach, lassen wir das! Wo befindet sich

diese Kreatur, Herr Direktor? Ich sehe nichts außer einem alten Eimer.«

»Dieser alte Eimer *ist* Pogsmith — im Moment jedenfalls.«

Der Direktor betätigte von außen einen Hebel, der den Eimer leicht anstupste. Das Ding verwandelte sich in eine rote Nase, aus der eine Hand wuchs. Die Hand versuchte nach dem Direktor zu greifen.

Letzterer hüstelte, wandte sich ab und meinte: »Bis sich das Ding herabläßt, seine wahre Gestalt anzunehmen, kann ich Ihnen vielleicht die Geschichte der ersten und einzigen Expedition nach Pogsmith erzählen.«

»Oh, vielen Dank«, wehrte Daisy ab. »Ich glaube . . .«

»Zufällig weilte ich nämlich selbst als Zoologe auf dem Forschungsschiff«, fuhr der Direktor unbeirrt fort. »Sie hören also einen Augenzeugenbericht.

Der Planet Pogsmith wurde nach unserem Funker benannt. Das einzige, das die beiden gemeinsam hatten, war ein merkwürdiges Aussehen. Der Funker hatte nur ein Auge und einen roten Bart, und der Planet — nun . . .« Seine Klauen zuckten, eine Geste, die bei den Puss höchste Verwunderung ausdrückte.

»Pogsmith ist der einzige Planet in einem System von drei Riesensonnen, einer roten, einer gelben und einer blauen. Er hat etwa die Größe des Merkur und eine sehr niedrige Dichte, da er keine Schwermetalle enthält. Aber während einer bestimmten Periode seines Orbits kommt er fast an die Rochesche Grenze von zwei dieser Sonnen heran. Es nimmt wunder, daß sich diese zerbrechliche kleine Welt nicht schon vor Äonen in ihre Atome auflöste. Offenbar bewältigt sie diesen gefährlichen Teil ihres Kurses dadurch, daß sie ihre Achsrotation stark beschleunigt.

Das alles stellten wir fest, bevor wir zur Landung ansetzten. Das Erstaunliche war, daß der Planet sogar eine Atmosphäre besaß, ein stechendes Gemisch aus Neon und Argon, das durch elektrostatische Aufladung und . . .« Der Direktor bemerkte Dustys verständnislose Miene, räusperte sich und ließ den Satz unvollendet.

»Es gab keine Meere, aber das Festland war zerklüftet und bergig. In der Nähe des Äquators entdeckten wir eine Ebene und versuchten zu landen. Das Schiff hob sofort wieder ab. Der Kapitän fluchte und versuchte es noch einmal. Wieder wurde das Schiff in die Luft geschleudert. Wir waren ratlos. Auf anderen Planeten gab es oft Schwierigkeiten mit dem Start, aber hier — etwas Derartiges hatten wir noch nie erlebt. Schließlich, als die anderen bereits aufgeben wollten, fiel mir die Lösung ein. Die Planetenmasse war so gering und die Achsrotation so schnell, daß die Zentrifugalkraft in Äquatornähe die Schwerkraft übertraf. Der Kapitän ließ sich von meinen Argumenten überzeugen und steuerte den Nordpol an, wo wir auch ohne Schwierigkeiten aufsetzten. Ein weiterer Vorteil war die niedrigere Temperatur — siebzig Grad Celsius statt der einhundertfünfzehn am Äquator.

Ich erwähne diese Dinge, um Ihnen klarzumachen, daß eine so exzentrische Welt nur exzentrische Lebewesen hervorbringen kann.

Wir kletterten ins Freie — mit Raumanzügen natürlich. Der Himmel wirkte durch die dünne, schwere Atmosphäre aus Edelgasen beinahe schwarz. Lediglich ein paar tiefhängende graue Wolken lockerten ihn auf. Die blaue Sonne bewegte sich zwischen fünf und zwanzig Grad über dem Horizont, und zwar so schnell, daß sie wie eine Spirale aussah. Hin und wieder tauchte die rote Sonne auf, erklomm den Zenit und sank wieder. Leider befanden wir uns zu weit nördlich, um auch die dritte Sonne zu sehen; ich weiß noch, daß ich damals ein wenig traurig darüber war.

Aber was für ein Schauspiel! Das Licht der beiden Sonnen umrieselte uns in allen Regenbogenfarben. Wir warfen begeistert die Arme hoch und stießen Rufe des Entzückens aus.

Pogsmith allerdings besaß keine Auge für Schönheit. Er hatte, wie gesagt, überhaupt nur ein Auge, und das benutzte er vor allem, um nach seinem eigenen Vorteil Ausschau zu halten. Er entfernte sich ein Stück von uns, und plötzlich hörten wir ihn schreien. Wir rannten zu ihm. Hundert Meter von Pogsmith entfernt bewegte sich ein Torpedo, der immer näher kam. Das Ding hatte Füße — aber nicht lange: die Füße verwandelten sich plötzlich in Räder und danach in Flossen.

Mit einemmal blieb es stehen und änderte seine Form erneut. Nun erinnerte es an ein Schwein. Das, so fanden wir heraus, ist seine normale Gestalt, aber die außergewöhnlichen Bedingungen seines Heimatplaneten haben dazu beigetragen, daß es eine hervorragende Mimikry entwickelte.

›Los!‹ schrie Pogsmith. ›Wir fangen das Biest!‹

Ich war natürlich mit seinem Vorschlag einverstanden. Aber er handelte voreilig, anstatt mich zu Rate zu ziehen. Als er sich auf das Geschöpf warf, veränderte es sofort wieder seine Gestalt. Es trug mit einemmal Stiefel, einen Raumanzug und einen roten Bart. Es war ein genaues Ebenbild von Pogsmith.

Die beiden Männer, wenn man so sagen kann, trugen einen verzweifelten Kampf aus. Wir trennten sie schließlich mit Gewalt.

Dann aber erwartete uns ein Problem. Welcher von den beiden war der echte Pogsmith? Das fremde Geschöpf hatte rasch erkannt, daß es in seiner neuen Verkleidung sicher war.

Beide fluchten, wenn wir sie anstießen. Beide schworen, sie seien Pogsmith. Beide flehten inständig, wir sollten sie loslassen.

Auf meinen Rat hin gab die Besatzung sie tatsächlich frei. Ich hatte gehofft, daß der falsche Pogsmith die Flucht ergreifen würde. Aber nein, beide standen ruhig da und schlugen vor, wir sollten zum Schiff zurückkehren. Offensichtlich war die Neugier des fremden Geschöpfs geweckt.

Mir kam die glänzende Idee, daß wir den beiden Pogsmiths eine Blutprobe abnehmen konnten. Sie kamen brav mit zur Luftschleuse. Aber da geschah etwas Seltsames. Wir blieben stehen. Wir warfen erneut einen Blick auf die Zwillinge. Der Kapitän sprach zuerst.

›Wie dumm von uns!‹ rief er. ›Jetzt erkenne ich den richtigen Pogsmith.‹ Er deutete auf einen der beiden Männer. ›Der hier ist es!‹

Wir stimmten ihm alle eifrig zu. Mit einemmal wußten wir ganz sicher, daß nur dieser Pogsmith der echte sein konnte. Wir schoben den Betrüger fort, betraten das Schiff und versiegelten die Luftschleuse.

›Puh!‹ sagte einer von der Mannschaft. ›Ein Glück, daß wir noch rechtzeitig zur Einsicht kamen! Nichts wie fort von hier!‹

Wir starteten und ließen den Planeten mitsamt seinen Sonnen weit hinter uns. Der Vorfall hatte unser Selbstvertrauen erheblich erschüttert.

Pogsmith, schon immer ein düsterer Bursche, war auf der Heimreise schweigsamer denn je. Wir vermieden es lange, ihn an sein unangenehmes Erlebnis zu erinnern, aber eines Tages fragte ich doch: ›Nun, Pogsmith, haben Sie sich von Ihrem Schrecken erholt?‹

Statt einer Antwort blinzelte er mir mit seinem einen Auge zu — und verwandelte sich langsam in ein Schwein.

Jetzt erkannten wir die Wahrheit. Das Geschöpf hatte uns durch eine Art Massenhypnose dazu gebracht, den echten Funker zurückzulassen. Aber wir befanden uns bereits seit geraumer Zeit unterwegs, und der arme Pogsmith hatte eine Sauerstoffreserve für höchstens sechsunddreißig Stunden bei sich gehabt. Was blieb uns anderes übrig, als die Reise fortzusetzen? Zu Ehren unseres toten Kameraden nannten wir den neuentdeckten Planeten Pogsmith.

Die Mannschaft haßte und fürchtete das fremde Geschöpf, das sich an Bord befand, und wollte es in den Raum hinausstoßen. Ich jedoch machte mich zum Fürsprecher der Wissenschaft und hielt den Leuten vor Augen, welch wertvolle zoologische Beute uns in die Hände gefallen war. Nach einer längeren Diskussion beschlossen wir, den Verwandlungskünstler am Leben zu lassen und in diesen Zoo zu bringen.«

Es herrschte tiefe Stille in der Kuppel.

»Eine ungewöhnliche Geschichte!« meinte Dusty Miller schließlich.

»Die Wahrheit ist häufig ungewöhnlich«, entgegnete der Zoodirektor mit Nachdruck.

»Glaubst du, er verkohlt uns?« wisperte Daisy ihrem Mann zu.

»Ich weiß nicht.«

Sie starrten skeptisch ins Innere der Kuppel. Pogsmith hatte seine natürliche Form angenommen. Er besaß tatsächlich Ähnlichkeit mit einem Schwein. Allerdings strahlte er eine Gelassenheit aus, die man bei echten Schweinen niemals findet. Als er merkte, daß man ihn beobachtete, begann er sofort wieder seine Gestalt zu verändern.

»Eigentlich ahmt er immer nur Formen nach, die er irgendwo gesehen hat«, meinte der Direktor geringschätzig. »Sehen Sie, nun bin ich an der Reihe . . .«

Mrs. Miller stieß einen spitzen Schrei aus.

»Wann hat er Sie je nackt gesehen?« fragte sie spitz.

»Madam, ich versichere Ihnen . . .«

»Genug jetzt«, unterbrach ihn Dusty streng. »Ich lasse meine Frau von keinem noch so seltsamen Geschöpf beleidigen. Ich schlage vor, wir gehen.«

»Meinetwegen«, fauchte der Direktor. »Obwohl ich mich in keiner Weise für das Benehmen dieser Kreatur verantwortlich fühle . . .«

»Ich will fort!« sagte Daisy, puterrot im Gesicht. »Stütz mich bitte, Marmaduke!«

»Geh mit dem Herrn Direktor voraus, Liebling! Ich möchte noch rasch die Informationstafel lesen.«

Er stupste sie unauffällig an, und sie gehorchte. Sobald die beiden außer Sicht waren, öffnete Dusty das Eingangsgitter.

»Mal sehen, ob er uns etwas vorgeflunkert hat«, murmelte Dusty. Er hatte es sich zum Grundsatz gemacht, nur das zu glauben, was sich beweisen ließ. Im nächsten Moment betrat er die Kuppel.

Der nackte Direktor schrumpfte zusammen und nahm Schweinegestalt an. Das Schwein schnüffelte aufmerksam.

»Schon gut, mein Lieber, ich tue dir nichts«, meinte Dusty besänftigend. »Ich will dich nur aus der Nähe betrachten.« Er schnalzte und streckte die Hand aus. Einen Moment lang erschrak er über seinen eigenen Mut. Wenn das Ding nun eine Vorliebe für Menschenfleisch besaß? Er blieb stehen. Sie beobachteten einander aus fünf Metern Entfernung.

»Schlechtes Licht«, murmelte Dusty. »Nur damit können sie den Schwindel aufrechterhalten. So, nun zeig mal, was du kannst!«

Als hätte das Schwein ihn verstanden — wie gut war eigentlich diese Gedankenabschirmung? — verwandelte es sich in Pogsmith. Das eine Auge funkelte Dusty an.

»Eine scheußliche Klemme«, sagte Pogsmith, stürzte sich auf Dusty und versetzte ihm einen Kinnhaken. Dann floh er durch die offene Tür.

Dusty blinzelte. Ein wütendes Gesicht beugte sich über ihn; es war der Direktor.

»Ah, Miller, endlich bei Bewußtsein! Ihr Besuch bei uns ist zu Ende. Draußen wartet eine Fähre, die Sie und Ihre Gattin zur Erde zurückbringen wird.«

»Pogsmith?« stöhnte Dusty.

»Ich will den Namen nicht mehr hören! Offenbar hat die Langeweile das arme Geschöpf fast um den Verstand gebracht. Es versteckt sich jetzt irgendwo auf dem Zoogelände. Bis jetzt konnten wir es noch nicht wieder einfangen. Ihre verdammte Neugier kommt uns teuer zu stehen, Sir! Sie sind ein Tunichtgut — jawohl, das sind Sie! Ein Tunichtgut . . .«

»Schreien Sie mich nicht an!« fauchte Dusty und klopfte sich den Staub von den Kleidern. »Das ändert auch nichts mehr.«

»Sehen Sie denn nicht, daß mein armer Mann mit seinen Nerven am Ende ist?« fragte Daisy, unterließ es aber nicht, dem armen Mann ins Ohr zu flüstern: »Warte, bis wir allein sind, Marmaduke!«

Dusty rieb sich das geschwollene Kinn und betrat die Metallrampe, die zu einer Zweimannrakete führte. Das kleine Schiff legte den Weg vom Merkur zur Erde völlig automatisch zurück. In fünf Minuten würden sie weit weg von dem Ort sein, an dem er sich unsterblich blamiert hatte.

Der Direktor begleitete sie bis zur Luftschleuse. Dort reichte er Dusty die Hand.

»Nichts für ungut«, meinte er.

Dusty schüttelte erst den Kopf und dann die Hand des Direktors. Sie gingen an Bord. Mit einem Klicken schloß sich die Luftschleuse. Dusty wankte auf die Konturenliege zu.

Daisy wollte eben ihre Predigt vom Stapel lassen, als ihr die Startdüsen das Wort abschnitten. Die Rakete schoß nach oben. Zwei Minuten lang schwieg Daisy.

»So«, meinte sie schließlich. »Das war . . .« Ihr Mund klappte zu, und sie starrte mit glasigen Augen an ihrem Mann vorbei. Dusty drehte sich um.

Die Tür zum Gepäckabteil stand offen. Eine Gestalt, die dem Zoodirektor glich wie ein Ei dem anderen, taumelte in den Passagierraum.

»Aber . . .« stammelte Dusty.

»Er hat uns hereingelegt«, erklärte der Direktor. »Er fesselte und knebelte mich — ich konnte mich eben erst befreien. Er — ooh!«

Er wich zurück, als Dusty ihn angriff. Dabei rutschte er aus und schlug mit dem Hinterkopf gegen die Wand.

»Rasch, Daisy, rasch!« rief Dusty. »Wir schleppen ihn zur Luftschleuse. Es ist Pogsmith!«

Sie rang hilflos die Hände. »Woher weißt du das?« fragte sie.

»Aber das ist doch sonnenklar«, fuhr Dusty sie an, froh, daß er wieder Herr der Lage war. »Natürlich versucht er auf diese Weise zu fliehen. Aber ein zweites Mal falle ich nicht auf ihn herein — ich nicht!«

Sie zerrten den sich heftig Wehrenden in die Schleusenkammer. Als Dusty endlich die Tür zum Innenraum geschlossen hatte, wischte er sich den Schweiß von der Stirn und betätigte den Handschalter, der die Außenklappe entriegelte. Zischend entwich die Luft — und der Zoodirektor.

Im Galaktischen Zoo war der Vorfall bald vergessen. Der Direktor blieb ein hochangesehener Mann — auch wenn er irgendwie stiller wirkte als früher. Und hin und wieder geschah es, daß er in seinen eigenen vier Wänden mit einem roten Bart und einem einzigen, triumphierend glänzenden Auge herumlief.

DRAUSSEN

Sie verließen das Haus nie.

Der Mann, der Harley hieß, stand als erster auf. Manchmal wanderte er im Schlafanzug durch das Gebäude — die Temperatur blieb immer gleich mild, Tag für Tag. Dann weckte er Calvin, den breitschultrigen, gutaussehenden Hünen, der den Eindruck erweckte, als könne er alles, und der doch nie etwas tat. Er genügte Harleys bescheidenen Ansprüchen auf Gesellschaft.

Dapple, das umwerfend hübsche Mädchen mit den grauen Augen und dem schwarzen Haar, war eine leichte Schläferin. Sie wachte auf, wenn sie die beiden Männer im Haus hörte, und holte May aus den Federn; gemeinsam richteten sie das Frühstück. Inzwischen wurden auch Jagger und Pief, die übrigen Mitglieder des Haushalts, munter.

So begann jeder ›Tag‹: nicht mit dem Heraufziehen des neuen Morgens, sondern dann, wenn sie sich wieder frisch fühlten. Sie strengten sich nie besonders an, aber wenn sie abends in die Betten fielen, waren sie rechtschaffen müde.

Der einzige Höhepunkt des Tages kam, wenn sie die Vorratskammer öffneten. Die Vorratskammer war ein kleiner Raum zwischen der Küche und dem blauen Zimmer. An einer Wand befand sich ein breites Regal, und von diesem Regal hing ihre Existenz ab, Hierher ›kam‹ alles, was sie benötigten. Bevor sie zu Bett gingen, versperrten sie die Tür des leeren Raums, und wenn sie ihn am nächsten Tag öffneten, lagen neue Vorräte da — Lebensmittel, Wäsche, Haushaltsgerät. Sie nahmen alles an, ohne zu fragen, woher es kam.

An diesem Morgen hatten Dapple und May das Frühstück fertig, bevor die vier Männer unten auftauchten. So mußten sie das Öffnen der Vorratskammer bis nach dem Essen verschieben. Die Frauen betraten den Raum nicht gern allein; weshalb, das wußten sie selbst nicht so recht . . .

»Hoffentlich ist Tabak dabei«, meinte Harley, als er die Tür aufsperrte. »Ich habe nur noch ein paar Krümel.«

Sie traten ein und warfen einen Blick auf das Regal. Es war so gut wie leer.

»Keine Lebensmittel«, stellte May fest und strich mit den Händen über ihre Schürze. »Wir werden das Essen genau einteilen müssen.«

Es geschah nicht zum erstenmal, daß das Regal leer blieb. Sie waren sogar schon drei Tage hintereinander ganz ohne Nahrung ausgekommen. Solche Dinge erschütterten sie nicht.

»Bevor wir verhungern, fallen wir über dich her, May«, sagte Pief, und sie lachten, obwohl Pief den gleichen Witz schon einmal gemacht hatte. Pief war ein schmächtiger kleiner Mann — einer, der in der Menge nie auffallen würde. Sein Humor war sein kostbarster Besitz.

Zwei Päckchen lagen auf dem obersten Brett. Das eine enthielt Harleys Tabak, das andere ein Kartenspiel.

»Hat jemand Lust?« fragte Harley und hielt die Karten hoch.

»Am Abend vielleicht«, entgegnete Calvin. »Das verkürzt die Zeit vor dem Schlafengehen.«

Nichts trennte die sechs, aber es schienen sie auch keine besonders starken Bande zusammenzuhalten. Sobald die Vorratskammer geöffnet war, ging jeder wieder seiner privaten Beschäftigung nach. Jagger nahm den Staubsauger und säuberte die Diele und die Treppenabsätze. Es lag kein Schmutz herum, aber vormittags räumte man nun einmal auf. Die Frauen setzten sich kurz mit Pief zusammen und besprachen den Speiseplan. Calvin und Harley waren bereits in entgegengesetzten Richtungen losgegangen.

In dem weitläufigen Haus herrschte ständiges Dunkel. Die wenigen Fenster, die es gab, bestanden aus unzerbrechlichem schwarzem Glas und ließen sich nicht öffnen. Sobald man einen Raum oder Korridor betrat, schaltete sich automatisch das Licht ein. Sämtliche Zimmer waren möbliert, wenn auch mit merkwürdigen Dingen, die wenig Beziehung zueinander hatten. Zimmer, für Geschöpfe erdacht, die ohne Sinn und Ziel umherirrten ...

Auch in den oberen Stockwerken und im geräumigen Speicher ließ sich kein sinnvoller Plan erkennen. Räume und Korridor gingen wie ein Labyrinth ineinander über. Zum Glück hatten die Bewohner des Hauses Zeit genug, sich die Lage einzuprägen.

Harley schlenderte lange Zeit umher, die Hände in den Hosentaschen vergraben. Einmal begegnete er Dapple; sie war über ein Skizzenbuch gebeugt und malte dilettantisch ein Bild ab, das an der Wand hing. Sie wechselten ein paar Worte, dann ging Harley weiter.

Etwas lauerte im Hintergrund seiner Gedanken wie eine Spinne in der Ecke ihres Netzes. Er betrat das sogenannte Musikzimmer, und mit einem Mal wußte er, was ihn beunruhigte. Beinahe verstohlen sah er sich um, als das Dunkel zurückwich; dann warf er einen Blick auf den großen Flügel. Einige merkwürdige Gegenstände waren von Zeit zu Zeit auf dem Regal erschienen; einer davon zierte jetzt den Flügel.

Er war gedrungen, keilförmig, etwa einen halben Meter hoch und am unteren Ende mit vier Schrägstützen versehen. Harley wußte, was der Gegenstand darstellte — das Modell einer Raumfähre, eine jener bulligen Raketen, die zwischen Boden- und Raumstation hin- und herpendeln.

Harley setzte sich auf den Klavierhocker und starrte das Ding an. Er versuchte *etwas* aus seinem Gedächtnis zu zerren — und es hatte irgendwie mit Raumschiffen zu tun.

Was es auch sein mochte, er erinnerte sich nicht gern daran, denn sein Verstand zuckte jedesmal zurück, wenn er es zu fassen bekam.

Er hörte Schritte. Harley hob den Deckel des Instruments und ließ die Finger über die Tasten gleiten. Erst dann drehte er sich lässig um. Calvin stand hinter ihm.

»Ich sah Licht hier drinnen«, meinte er leichthin.

Harley lächelte. »Ich habe schon lange nicht mehr gespielt«, erklärte er seine Anwesenheit. Er konnte mit niemandem über sein Problem sprechen, auch nicht mit Calvin, weil ... weil es die Natur der Sache verlangte ... daß man sich wie ein normaler, zufriedener Mensch benahm.

Er entlockte den Tasten eine kleine Melodie. Er spielte gut. Sie spielten alle gut, Dapple, May, Pief ... Sie hatten von Anfang an gut gespielt, seit sie den Flügel besaßen. War das — natürlich? Harley musterte Calvin verstohlen. Der untersetzte Mann lehnte am Flügel und hatte dem Raumfähren-Modell den Rücken zugekehrt. Seine Miene war die Freundlichkeit selbst. Sie waren alle freundlich; sie bekamen nie Streit.

Mittags trafen sie sich zu einer kargen Mahlzeit. Sie plauderten über belanglose Dinge und trennten sich wieder. Harleys Unruhe wollte nicht weichen. Was spielte sich in den Köpfen der anderen ab? Verbargen sie ihre wahren Gefühle ebenso wie er? Und noch eine Frage: Wo war ›hier‹?

Halt, eines nach dem anderen. Er mußte sein Wissen ordnen und sich Schritt für Schritt an den Abgrund herantasten.

Erstens: Zwischen der Erde und Nitita herrschte seit langem kalter Krieg.

Zweitens: Die Nititer besaßen die Gabe, das gleiche Aussehen anzunehmen wie ihre Feinde.

Drittens: Aus diesem Grunde konnten sie die Menschheit infiltrieren.

Viertens: Den Erdbewohnern war es bisher nicht gelungen, einen Einblick in die Zivilisation der Nititer zu gewinnen.

Merkwürdig — keiner dieser Punkte stand in bezug zu der kleinen Welt, in der er lebte. Sie galten für das Draußen, jenes Draußen, das er nicht kannte. Einen Moment lang sah er eine sternerfüllte Weite, in der sich Menschen und Monstren bekämpften, und dann schob er dieses Bild zurück in sein Unterbewußtsein. Es paßte nicht zu dem friedlichen Verhalten seiner Gefährten. Dachten sie hin und wieder an das Draußen? Wenn sie es taten, so sprachen sie jedenfalls nicht darüber.

Harley hatte den Billardraum betreten. Nun schob er die Kugeln mit dem Finger über das grüne Tuch. Die beiden roten Bälle stießen klickend zusammen und trennten sich wieder. So arbeiteten die beiden Hälften seines Verstandes. Sie waren unvereinbar. Er sollte hierbleiben und sich anpassen; er sollte — nicht hierbleiben (es fiel ihm schwer, sich darunter etwas Konkretes vorzustellen). Dazu kam, daß ›hier‹ und ›nicht hier‹ kein Ganzes bildeten, sondern einen Mißklang.

Die weiße Kugel rollte müde in ein Loch. Harley beschloß, in dieser Nacht auf den gewohnten Schlaf zu verzichten.

Sie trafen sich noch zu einem Drink. In schweigender Übereinkunft hatten sie das Kartenspielen auf einen anderen Zeitpunkt verschoben; Eile kannten sie nicht.

Wieder sprachen sie von den Nichtigkeiten des Alltags — dem Zimmermodell, an dem Calvin bastelte, und der defekten Beleuchtung im oberen Korridor, die viel zu spät aufflammte. Sie waren in gedämpfter Stimmung, wie meist vor dem Zubettgehen. Harley wußte, daß mit der Dunkelheit, die sich über ihre Räume senkte, ein innerer Befehl zum Einschlafen kam. Wußten es die anderen auch?

Er verharrte am Eingang zu seinem Zimmer. Seine Schläfen hämmerten, und er preßte die Hand gegen die Stirn. Er hörte, wie die anderen ihre Räume aufsuchten. Dann war alles still.

Jetzt!

Als er nervös in den Gang hinaushuschte, flammte zögernd das Licht auf. Sein Herz klopfte bis zum Hals. Er tat etwas Verbotenes. Er wußte nicht, was ihn erwartete, aber er war sich im klaren darüber, daß sein Tun schlimme Folgen haben konnte. Er hatte den Schlafzwang überwunden. Nun mußte er sich verstecken und abwarten.

Harley schmiegte sich in die Türnische eines unbenutzten Raums. Prompt ging die Korridorbeleuchtung aus. Um ihn herrschte Finsternis. Er fühlte sich alles andere als wohl. Er dachte nicht gern daran, daß er die Regeln durchbrochen hatte, und er fürchtete sich vor dem knarrenden Dunkel. Aber er wurde nicht lange auf die Folter gespannt.

Das Ganglicht flammte erneut auf. Jagger verließ sein Zimmer und schlenderte zur Treppe. Er pfiff unbekümmert vor sich hin.

Harley hatte auf etwas gewartet, und etwas war geschehen. Nun schüttelte ihn die Furcht. Dennoch folgte er Jagger, ohne auch nur eine Sekunde zu zögern.

Jagger bog um eine Ecke. Er sperrte eine Tür auf. Das mußte die Vorratskammer sein — kein anderer Raum im Haus war verschlossen. Das Pfeifen verklang.

In der Tat stand die Vorratskammer offen. Harley spitzte hinein. Eine Wand war um neunzig Grad gedreht. Dahinter zeigte sich ein Korridor. Minutenlang starrte Harley die Öffnung wie gelähmt an. Dann trat er zögernd ein paar Schritte näher ...

Der Korridor war kurz und führte zu einem sonderbaren Käfig (Harley kannte keine Aufzüge). Seitlich davon befand sich eine schmale Tür mit einem Fenster.

Das Fenster war transparent. Harley warf einen Blick hindurch und taumelte zurück.

Draußen leuchteten Sterne.

Als sich sein Schwindel gelegt hatte, schleppte er sich zurück ins Haus. Mit beiden Händen umklammerte er das Treppengeländer. Sie hatten alle in einem schrecklichen Irrtum gelebt ...

Er stürmte in Calvins Zimmer. Das Licht stach ihm schmerzhaft grell in die Augen. In der Luft hing ein süßlicher Geruch. Calvin lag auf dem Rücken und schlief fest.

»Calvin! Aufwachen!« schrie Harley.

Der Schläfer rührte sich nicht. Harley erkannte plötzlich, wie allein er in dem großen, unheimlichen Haus war. Er beugte sich über das Bett, rüttelte Calvin an den Schultern und schlug ihm mit der flachen Hand ins Gesicht.

Calvin stöhnte.

»Aufwachen, Mann!« rief Harley. »Etwas Entsetzliches geht hier vor!«

Calvin stützte sich schlaftrunken auf einen Ellbogen.

»Jagger *hat das Haus verlassen*«, sagte Harley eindringlich. »Es gibt einen Weg nach draußen. Wir — wir müssen herausfinden, was wir sind!« Seine Stimme steigerte sich zu einem hysterischen Kreischen. »Wir müssen herausfinden, was sich hier abspielt! Entweder wir sind Opfer eines haarsträubenden Experiments — oder Monstren!«

Und während er das sagte, veränderte sich Calvin. Seine Gestalt verschwamm, löste sich auf . . .

Harley hörte erst zu schreien auf, als er an dem schmalen Fenster stand und die Sterne betrachtete. Er mußte fort von hier, nach draußen, ganz gleich, welche Gefahren ihm dort drohten.

Er öffnete die Tür und trat in die kühle Nachtluft hinaus.

Harleys Auge war es nicht gewöhnt, Entfernungen abzuschätzen. Es dauerte eine Weile, bis er sich in der neuen Umgebung zurechtfand. Am Horizont hob sich eine Gebirgskette schwach gegen den sternenklaren Himmel ab. Er selbst stand auf einer Plattform vier Meter über dem Boden. In einiger Entfernung zeichneten beleuchtete Fenster gelbe Rechtecke auf den Asphalt.

Am Rande der Plattform befand sich eine Leiter aus Stahl. Ungeschickt kletterte Harley in die Tiefe. Er zitterte vor Kälte und Angst. Als seine Füße festen Boden berührten, begann er zu laufen. Einmal drehte er sich um. Das Haus saß auf seiner Plattform wie ein breiter unförmiger Frosch.

Übelkeit erfaßte ihn. Die Sterne begannen sich zu drehen, immer schneller. Er ballte die Fäuste. Jetzt durfte er das Bewußtsein nicht verlieren. »Man hat mich betrogen«, murmelte er. »Man hat mir etwas geraubt — ich weiß nur nicht was . . .« Das Haus auf der Plattform verkörperte die Kälte in seinem Innern. Er lief weiter.

Häuser tauchten auf. Er wankte dem nächstbesten Licht entgegen, öffnete die nächstbeste Tür. Dann blieb er wie erstarrt stehen und blinzelte in das grelle Licht.

An den Wänden des Raumes hingen Schautafeln und Karten. Der große Schreibtisch in der Mitte war mit einem Bildschirm und einem Mikrofon ausgerüstet. Ein hagerer Mann mit schmalen Lippen saß davor.

Vier weitere Männer standen herum, alle bewaffnet und kein einziger erstaunt, ihn zu sehen. Der Mann am Schreibtisch trug einen grauen Anzug; die anderen waren in Uniform.

Harley lehnte am Türpfosten und schluchzte. Er fand keine Worte.

»Es hat vier Jahre gedauert, bis Sie den Weg nach draußen fanden«, sagte der hagere Mann. Die messerscharfe Stimme paßte zu seinen schmalen Lippen.

»Da — sehen Sie sich das an!« fuhr er fort und deutete auf den Bildschirm. Mühsam kam Harley der Aufforderung nach. Seine Knie schlotterten.

Man erkannte klar und deutlich Calvins Zimmer. In der Außenwand gähnte ein Loch, durch das zwei Uniformierte eindrangen. Sie schleiften ein klappriges Geschöpf ins Freie, das keinerlei Ähnlichkeit mehr mit Calvin hatte.

»Calvin war Nititer«, stellte Harley dumpf fest.

Der hagere Mann nickte.

»Die feindliche Infiltration stellte eine große Gefahr für uns dar«, erklärte er. »Nirgends auf der Erde gab es eine Waffe dagegen. Die Nititer bringen einen Menschen um, beseitigen ihn und nehmen seine Gestalt an ... Auf diese Weise verloren wir eine Menge Staatsgeheimnisse. Aber das System hatte auch einen schwachen Punkt. Die Nititerschiffe mußten auf der Erde landen, um ihre Agenten abzusetzen und sie später wieder zurückzuholen.

Es gelang uns, ein solches Schiff abzufangen, nachdem die Leute bereits Menschengestalt angenommen hatten. Wir blockierten ihr Erinnerungsvermögen, teilten sie in kleine Gruppen auf und studierten ihr Verhalten unter den verschiedenartigsten Voraussetzungen. Das hier ist übrigens das Fremdrassen-Forschungszentrum der Armee. Wir erfuhren eine Menge ... genug, um die Gefahr zu bannen ... und Sie gehörten natürlich einer solchen Gruppe an.«

»Weshalb?« fragte Harley hart.

Der hagere Mann spielte eine Zeitlang mit seinem Lineal. Dann entgegnete er:

»Trotz der hervorragenden automatischen Überwachungssysteme hielten wir es für angebracht, menschliche Beobachter in die Gruppen einzuschleusen. Sehen Sie, die Nititer wenden Selbsthypnose an, um ihre Menschengestalt aufrechtzuerhalten. Nur in Augenblicken besonderer psychischer Belastung bricht diese Hypnose zusammen. Und genau wie bei uns erträgt der eine mehr, der andere weniger. Ein Mensch, der jeden einzelnen Nititer in der Gruppe kennt, weiß, wann Gefahr im Anzug ist ...«

»Aber ich —«

»Jagger war der menschliche Beobachter in Ihrer Gruppe — genauer gesagt, wir hatten zwei Menschen, die sich in dieser Rolle abwechselten.«

»Das verstehe ich nicht«, stammelte Harley. »Heißt das etwa, daß ich ...«

Er blickte in eine Revolvermündung und brachte keinen Ton mehr heraus. Gleichzeitig spürte er, wie seine Gestalt zerfloß und sich auflöste.

»Ihr ertragt erstaunlich viel«, meinte der hagere Mann. »Aber letzten Endes versagt ihr alle aus dem gleichen Grund. Ihr imitiert zu genau. Jagger tat überhaupt nichts, während er bei euch weilte — und ihr seid seinem Beispiel gefolgt. Ihr habt keine Langeweile empfunden; kein einziger versuchte, Dapple zu verführen, und selbst das Raumgefährt-Modell rief keine besondere Reaktion bei euch hervor.«

Er beugte sich über das klapprige Geschöpf, das in einer Ecke kauerte.

»Die Unmenschlichkeit in eurem Innern wird euch immer verraten«, sagte er ruhig, »ganz gleich, wie menschlich ihr nach außen hin erscheint.«

Weihnachten. Es schneite mit freundlicher Genehmigung der Klima-Zentrale.

Rick Sheridan steuerte seinen Helikopter durch den Flockenwirbel, ohne ein einziges Mal die für seine Konsumklasse vorgeschriebene Höhe zu verlassen. Er hatte einen heiteren Charakter — soweit man bei ihm von Charakter sprechen konnte. Jedenfalls pfiff er heiter vor sich hin — zu den Klängen der Bebop-Musik, die aus dem Mini-Bildschirm an seinem Handgelenk drang.

Weihnachten! Eine Zeit des erhöhten Konsums — eine Zeit, in der alle Gesichter vor Glück strahlten! Er dachte an Neata, und sein Pfeifen verstummte. Irgendwie wirkte seine Frau gereizter als sonst.

Zum Landen schaltete Rick den Autopiloten ein. Erst vor zwei Monaten hatte ihm die *Happy Hover Company* dieses Luxusspielzeug eingebaut. Die Maschine senkte sich mit einem leichten Wispern der Rotoren und setzte im Garten der Sheridans auf.

Der Garten war groß für ihre Verhältnisse, drei mal fünf Meter, und alles mit Neobeton überzogen. Rick sprang ins Freie und streckte sich. Trotz seiner achtundzwanzig Jahre fühlte er sich mit einemmal wieder fit und jung.

»Mmm, jetzt eine Schale knackiger Knabberhappen!« rief er und lief mit federnden Schritten auf die Tür zu.

Er befand sich so hoch auf der Stufenleiter der Konsumenten, daß er eine geräumige Zweizimmerwohnung sein eigen nannte.

»Neata!« rief er schon in der Abstellkammer. Er betrat den TV-Raum.

Neata saß am Relaxomat und beugte sich über eines der praktischen Haushaltsgeräte, die ihr soviel Arbeit ersparten.

Ihr Lächeln wirkte völlig natürlich, obwohl sie erst seit kurzem neue Zähne hatte.

»Ricky, Schatz, du kommst früher als sonst!«

Seine kleine Tochter Goya sprang auf, um ihn zu begrüßen. Dabei brachte sie das Kunststück fertig, rückwärts zu laufen, um nur ja nichts von den Abenteuern des Seifenkönigs Sodakühn zu versäumen. Der Held stand eben drei schmutzigen Verbrechern gegenüber.

Ricks Augen unter den Kontaktlinsen wurden feucht. Ein reizendes Kind! Aber Neata schien das Benehmen der Kleinen zu mißfallen, denn sie sagte tadelnd: »Kannst du deinem Vater nicht ordentlich guten Tag sagen?«

Goya stampfte mit dem Fuß auf. »Ich will Sodakühn sehen!«

»Du bist alt genug, um zu erraten, wie die Geschichte weitergeht. Sodakühn fängt die Bösewichte und steckt sie alle in den großen Zuber mit wonnigweichem Traumschaum, den es nur bei *Little Britches* gibt.«

»Nicht schimpfen«, vermittelte Rick. »Heute ist doch Weihnachten!«

Er nahm Goya auf den Schoß, und gemeinsam betrachteten sie Sodakühn. Seinen Hunger hatte er vergessen. Im TV-Raum befanden sich zwei Wand-Bildschirme. Wenn das Geschäft weiter so gut ging, konnte er sich nächstes Jahr vielleicht einen dritten Schirm leisten. Und eines Tages ... Er schloß eine Sekunde lang die Augen, als er an seinen alten Wunschtraum, die Quadrovision, dachte.

Das Bild begann zu flimmern. Jeder Konsument achtete darauf, daß er Bildschirme von hoher technischer Qualität besaß, aber es ließ sich nicht leugnen, daß in letzter Zeit immer häufiger Störungen auftraten. Rick fielen wieder die Gerüchte ein, die er gehört hatte. Angeblich hatte sich eine radikale Untergrundbewegung zum Ziel gesetzt, die gegenwärtige Konsumregierung mit ganz neuen Methoden zu stürzen.

Ärgerlich wehrte er diese Gedanken ab und konzentrierte sich auf das Geschehen auf dem Bildschirm. Gerechtigkeit und

Sauberkeit hatten gesiegt. Als nächstes kam ein Zeichentrickfilm über das Leben auf dem Lande von anno dazumal, gestiftet von Grinbaum, Fleisch- und Suppenwürfel.

»Zeit zum Schlafengehen, Goya«, erklärte Neata und brachte die Kleine trotz heftiger Proteste nach draußen, um sie mit Little Britches, Ardentifrisch und Juxons Hautpuder (›Keiner duftet reiner‹) zu bearbeiten. Rick nutzte die Gelegenheit, um einen Blick auf den Pornograph zu werfen, aber der Ansager in der Grinbaum-Uniform lenkte die Aufmerksamkeit rasch wieder auf sich. »Verehrte Kunden, wieder einmal geht unser Programm zu Ende. Wird Mister Dials beste Kuh wirklich kalben? Bekommt Sally Hopkins ihren heißersehnten Kuß? Wir wissen es ebensowenig wie Sie. Aber eines wissen wir — daß man in Grinbaums Fleisch- und Suppenwürfeln die wilde Frische der Natur schmeckt!« Er kniff die Augen zusammen, und seine Stimme klang mit einemmal hart: »Haben Sie Ihren Bedarf gedeckt, Sheridan?«

Schnitt. Blanker Schirm. Zehn Sekunden Pause bis zur nächsten Sendung.

»Großartig, wie er das macht«, sagte Rick stolz und fuhr sich mit der Hand über die Stirn. »Ich zucke jedesmal richtig zusammen.«

»Ich auch«, erklärte Neata grimmig. Sie brachte Goya, strahlend frisch und im Nachthemd, ins Zimmer.

Es war der neueste Trick: Auf ein Signal vom TV-Studio hin fügte jeder Empfänger im richtigen Moment den Namen des jeweiligen Haushaltsvorstandes ein.

Neata drückte auf eine Taste des Relaxomats, und ein Teil davon verwandelte sich in ein Bett. Goya wurde hineingelegt und bekam ihren Becher Gutenacht-Flocken. Kurz darauf sank sie gähnend in die Kissen.

»Schlaf schön, Liebling!« sagte Neata sanft und rückte der Kleinen die Ohrstöpsel zurecht. Seit die Programme rund um die Uhr liefen, brauchte man diese Schlafhilfen, denn abschalten ließen sich die Bildschirme nicht.

»Hallo! Hier Green Star, Kanal B«, verkündete eine Stimme.

»Müssen wir das anschauen?« fragte Neata stirnrunzelnd, als drei unbekleidete Tänzerinnen busen- und hüftenwackelnd auf ein Podium hüpften.

»Versuchen wir es mit Kanal A!«

Auf Kanal A lief seit längerer Zeit ein Schauspiel. Sie schalteten auf Kanal C, aber hier gab es nur ein Touristikprogramm, und Rick hatte etwas gegen fremde Länder und fremde Sitten. Sie kehrten zurück zu Kanal B und dämmerten in den Polstern ihrer Sessel vor sich hin.

Es standen noch drei weitere Systeme zu ihrer Verfügung, jedes mit drei Kanälen — zumindest theoretisch. Aber Green Star wandte sich an die Konsumklasse, der sie angehörten. Weshalb sollten sie White Star einschalten, wenn sie sich den Luxus, der dort angeboten wurde, doch nicht leisten konnten? Außerdem hatten sie dann nicht die Chance, von den TV-Studios beobachtet zu werden. Seit etwa zehn Jahren war es nämlich möglich, daß die Kameras einen Konsumenten durch die Bildschirme hindurch in seinem TV-Zimmer filmten. Dieser Erfindung verdankten sie einige der besten Programme.

Rick fand an diesem Abend keinen Gefallen an der Sendung — vielleicht weil Weihnachten war. Er trat in den Garten hinaus. Es schneite immer noch mit freundlicher Genehmigung der Klima-Zentrale. Geistesabwesend strich er mit einer Hand über den Helikopter — die Rotorblätter, den Minireaktor, den Fernsehentstörer, das Bugrad. Rick fror nicht. Er trug seinen Novolla-Warmcoat.

Nach einiger Zeit kehrte er wie jeder vernünftige Bürger in die Wohnung zurück und setzte sich vor den Bildschirm.

Fünf Minuten später klopfte es draußen.

»Wer mag das sein?« fragte Rick ängstlich.

»Keine Ahnung«, entgegnete Neata. Auch sie hatte die Gerüchte von einer Untergrund-Bewegung gehört; einen Moment lang stellte sie sich mit einem angenehmen Gruseln vor, wie zwei Maskierte eindrangen und die Wandschirme zerschmetterten. Aber Maskierte klopften natürlich nicht an der Tür...

»Vielleicht jemand von Grinbaum«, murmelte Rick. »Ich habe in letzter Zeit kaum Fleischwürfel gekauft.«

»Sei nicht albern, Rick«, entgegnete seine Frau ungeduldig. »Du müßtest eigentlich wissen, daß so eine Fabrik vollautomatisch funktioniert. Nun sieh endlich nach, wer draußen steht!«

Daran hatte er nicht gedacht. Man mußte es den Frauen lassen... Er rückte seine Teddy-Krawatte zurecht und ging zögernd an die Tür.

Im Schneetreiben stand ein Mann. Er hatte seinen Helikopter dicht neben dem von Rick geparkt. Über seinem Novolla-Warmcoat trug er eine Art Cape. Offensichtlich gehörte er einer höheren Konsumklasse an als die Sheridans.

»Äh...«, begann Rick.

»Darf ich eintreten?« fragte der Fremde mit sonorer Stimme. »Ich bin ein entsprungener Häftling.«

»Äh...«, fuhr Rick fort.

»Keine Angst! Ich tue Ihnen nichts.«

»Die Kleine schläft.« Rick klammerte sich an die erstbeste Ausrede, die ihm einfiel.

»Ich bin kein Kindsentführer.«

Er schob sich an Rick vorbei in die Abstellkammer und betrat den TV-Raum. Neata sprang auf. Der Fremde verbeugte sich tief. Er nahm mit elegantem Schwung das Cape ab, so daß der Schnee durch das Zimmer wirbelte.

»Madam, verzeihen Sie mein Eindringen«, sagte er. »Ich ergebe mich Ihnen auf Gnade und Ungnade.«

»Ooh, Sie sprechen wie ein TV-Star!« keuchte Neata.

»Für dieses Kompliment danke ich Ihnen aus tiefstem Herzen«, entgegnete der Fremde und stellte sich als Black Jack Gabriel vor.

Rick hörte kaum hin. Er betrachtete eingehend die vornehme Kleidung des Mannes. Auch die weiße Strähne in seinem dichten Haar machte sich gut. (Der Bursche war sicher nicht älter als dreißig!) Zwischen Neata und Black Jack gingen feurige Blicke hin und her.

»Ich heiße Neata Sheridan«, gurrte Neata eben. »Mein Mann Rick . . .«

»Ein reizender Name!« Black Jack verbeugte sich vor Rick und lächelte liebenswürdig.

»Nur eine Kurzform von Rickmansworth«, fügte Neata ein wenig bissig hinzu.

Black Jack stand dicht vor den Wandschirmen, aber er hatte noch keinen Blick auf das Programm geworfen. Nun begann er zu sprechen. Er war der geborene Vortragskünstler. Selbst Rick verlor allmählich seine Scheu, obwohl er in Gegenwart fremder Menschen zum Erröten neigte.

Black Jack schilderte in bewegten Worten seine Gefangennahme nach einer dramatischen Flucht über die Dächer eines dreißig Stockwerke hohen Gebäudekomplexes und die harte Zwangsarbeit, zu der man ihn verurteilt hatte. (Er mußte für die Kameraleute der Satellitenstationen Fäustlinge aus Hanf anfertigen!) Nach neun Jahren der Pein hatte sich nun plötzlich eine Möglichkeit zum Entweichen ergeben. Black Jack war in die Suite des Gouverneurs eingedrungen, hatte sich umgezogen und den schnellen Helikopter des Mannes zur Flucht benutzt.

»Hier bin ich nun«, beendete er seine Erzählung. »Ich landete aufs Geratewohl — zu meinem Glück bei vernünftigen Leuten!«

Rick hatte sich trotz der heißen Bebop-Musik an den Bildschirmen von seinen Abenteuern fesseln lassen.

»Wenn es keine zu persönliche Frage ist, Mister Black«, meinte er nun, »was haben Sie eigentlich angestellt?«

»Das ist eine ziemlich lange Geschichte«, meinte Black Jack mit gerunzelter Stirn. Dabei lächelte er jedoch Neata zu. »Sehen Sie, in England herrschten früher seltsame Zustände. Sie erinnern sich wahrscheinlich nicht mehr daran, aber damals gab es noch eine Regierung. Es gab auch verschiedene Industriezweige und die sogenannte ›freie Marktwirtschaft‹. Die Regierung nun ›verstaatlichte‹ jede Industrie, die ihr zu einträglich und mächtig wurde.

Zu jener Zeit blühte gerade das Fernsehen auf — heute nur noch TV genannt. Die Regierung riß es an sich, aber die TV-Leute besaßen inzwischen so viel Macht, daß *sie* die Regierung verdrängten. Der berühmte Fall, wo der Schwanz mit dem Hund wedelt, wenn Sie verstehen, was ich meine.

Bald hieß die Losung nur noch TV. Gewiß, die Volksunterhaltung hatte auch ihre guten Seiten. Heute arbeitet beispielsweise die Hälfte aller Einwohner direkt oder indirekt auf dem TV-Sektor. Es gab keine Arbeitslosigkeit mehr, keine Überbeschäftigung, keine Streiks, keine Neurosen, Kriege und Wohnungsprobleme, keine Verbrechen und keine Fußballskandale. Unterhaltung war das A und O.«

»Sie sagen das wunderbar!« Neate sah ihn schwärmerisch an. »Aber was hat nun zu Ihrer Festnahme geführt?«

»Ich war der letzte Premierminister der Regierung«, gestand Black Jack. »Und ich stimmte gegen die totale Unterhaltung.«

Neata stieß einen kleinen Schrei aus.

Rick wies mit dem Finger zur Tür. »Hinaus! Leute Ihresgleichen haben in meinem Haus nichts zu suchen. Außerdem beginnt gleich die Brogan-Show.«

»Oh, bitte, sei nicht so hart!« flehte Neata. Sie erkannte mit einemmal, daß hier der Mann stand, von dem sie immer geträumt hatte. Er besaß Format. Vielleicht war er gar der Anführer jener Radikalistengruppe, die für die jüngsten Störungen auf den Bildschirmen verantwortlich zeichnete. Aber sie verzieh ihm alles, wenn er ihr noch einmal in die Augen schaute.

»Ich sagte — hinaus!« wiederholte Rick.

»Ich hatte nicht die Absicht, hierzubleiben«, erklärte Black Jack kühl. »Ich bin unterwegs nach Bali, Spanien oder Indien, wo es die totale TV-Berieselung noch nicht gibt.«

»Weshalb sind Sie dann überhaupt hergekommen?« wollte Rick wissen.

»Nur, um mich mit den nötigsten Dingen für die Reise zu versorgen. Leider befanden sich im Gouverneurs-Helikopter so gut wie keine Vorräte. Den kleinen Wunsch nach Proviant werden Sie mir doch nicht abschlagen?«

»Wenn Sie wirklich fort müssen . . .«, seufzte Neata.

»Ich will Holländer sein, wenn ich einen Finger krumm mache, um diesem Verbrecher zu helfen!« brauste Rick auf. Aber als er die blitzenden Augen seiner Frau sah, fügte er kleinlaut hinzu: »Okay, nennen Sie mich Hans!« und ging in den Abstellraum.

Feurig wandte sich der Premierminister Neata zu. »Meine Fürsprecherin!« hauchte er. »Ich werde Sie nie vergessen!«

»Ich Sie auch nicht«, versicherte Neata schmachtend. »Ich — ich finde Sie großartig . . . und ich hasse TV!«

Mit Tränen in den Augen sah sie zu ihm auf. Er drückte ihr die Hand. *Er* drückte *ihr* die Hand! Es war der schönste Augenblick ihres Lebens. Insgeheim wußte sie, daß ihr Dasein wieder einen Sinn bekommen hatte. Nun beugte er sich über sie — und Rick kam zurück.

In seiner Angst, die beiden allein zu lassen, hatte er in aller Hast einen Sack Trockenpflaumen, zwei Kartons mit Fix-Püree, einen Kuchen, eine Dose Räucherheringe (garantiert Olde English!) und eine Stange mit Grinbaums Fleischwürfeln zusammengepackt.

»Da!« sagte er grimmig. »Und nun verschwinden Sie!«

Jetzt, da Black Jack sein Ziel erreicht hatte, war er die Unterwürfigkeit selbst. Er schien gern zu gehen, dachte Neata betrübt. Aber zweifellos hatte man alle verfügbaren Polizisten von ihren Bildschirmen wegbeordert und auf seine Spur gehetzt.

Rick brachte den Eindringling in den Garten, wo es immer noch mit freundlicher Genehmigung der Klima-Zentrale schneite. Black Jack warf den Proviant ins Gepäckfach des Helikopters und setzte sich an den Steuerknüppel. Er hob die Hand zu einem ironischen Salut. »Fröhliche Weihnachten!« rief er. Der Helikopter stieg auf.

»Adieu!« rief Neata in einer romantischen Anwandlung und dann, noch romantischer: »Bon voyage!«

Aber die Maschine war bereits im weißen Flockenwirbel verschwunden.

»Komm herein!« knurrte Rick.

Sie redeten kein Wort miteinander. Rick starrte grämlich die Wandschirme an. Irgendwie war ihm die Lust an der Brogan-Show vergangen. Er stand auf und zerrte nervös an seiner Teddy-Krawatte.

»Ach, verdammt, ich glaube nicht, daß man uns gerade in den Studios beobachtet«, meinte er. »Schalten wir White Star ein! Wir brauchen eine kleine Abwechslung.«

Er drückte auf den Knopf. Neata keuchte.

Auf den Bildschirmen war ein vornehmer Senderaum zu sehen mit einem vornehmen Sprecher und drei vornehm gekleideten Gästen. Die Kameras waren erwartungsvoll auf die Tür gerichtet, durch die jetzt ein Mann mit dunklem Cape und silberner Haarsträhne trat. Er verbeugte sich vor den unsichtbaren Zuschauern.

Das Lächeln des Sprechers wirkte ein wenig gekünstelt. »Ah, eben ist unser Bösewicht im Studio eingetroffen!« Er wandte sich an den Neuankömmling und fuhr fort: »Gervaise McByron — alias Black Jack Gabriel — ich begrüße Sie bei der Weihnachtsfolge unseres Heiteren Pfänderspiels, gestiftet von der Bryson-Hirnwäsche-KG. Sie hatten diesmal eine knifflige Aufgabe zu lösen, um Ihren Punkterückstand von der letzten Sendung aufzuholen. Für alle jene Zuschauer, die unser Programm jetzt erst einschalten, lese ich vor, was in dem versiegelten Umschlag stand, den Sie erhielten: ›Verschaffen Sie sich Zutritt zu einem Green-Star-Haushalt, und kommen Sie mit einem Pfand hierher zurück!‹ Sie haben den Text sehr wörtlich genommen, mein Lieber!«

McByron lächelte strahlend. »Ich tat, was ich konnte!« Er breitete zu Füßen des Ansagers eine Handvoll Trockenpflaumen, eine Schachtel Fix-Püree, einen Kuchen, die Räucherheringe und Grinbaums Fleischwürfel aus.

»Ihre Story klang erschreckend echt«, setzte der Sprecher hinzu und wand sich verlegen. »Ich hoffe, unsere verehrten Zuschauer haben kein Wort von den — äh — Lügen geglaubt, die Sie über unser geliebtes TV verbreiteten. Beinahe wäre ich selbst darauf hereingefallen, haha!«

»Das kostet Sie Ihren Platz, McByron«, sagte eine Dame mit gefälligen Formen. »Sie sind zu weit gegangen — viel zu weit!«

»Wir haben jede Sekunde Ihres Aufenthalts bei den Sheridans mitverfolgt«, erklärte der Sprecher. »Und wir bitten unsere verehrten Zuschauer um Verständnis . . .«

»Hören Sie, McByron«, warf die Dame mit den gefälligen Formen kühl ein, »wie hat Ihnen diese Mrs. Sheridan eigentlich gefallen?«

»Im Vergleich zu einer gewissen Lady Patricia Burton war sie absolute . . .«

»Und damit geht die Weihnachtsfolge unseres Heiteren Pfänderspiels zu Ende«, strahlte der Ansager und erhob sich. »Sie verdanken diese erbauliche Stunde der Bryson-Hirnwäsche-KG. Bis zum nächstenmal, und vergessen Sie unseren Wahlspruch nicht: *Konsumenten denken nicht, sonst verlieren sie die Übersicht!*«

Schnitt. Blanker Schirm. Zehn Sekunden Pause bis zur nächsten Sendung.

Langsam wandte sich Rick seiner Frau zu. »Dieser — dieser Betrüger! Macht uns zum Gespött aller White-Star-Snobs! Das hast du nun davon . . .«

»Bitte, ich will jetzt kein Wort hören, Rick«, entgegnete Neata. Ihre Stimme klang so gebieterisch, daß ihr Mann sich stumm abwandte und auf Green Star umschaltete.

Neata verließ nachdenklich das Zimmer. Sie umklammerte immer noch das winzige Ding, das McByron alias Black Jack ihr in die Hand gedrückt hatte. Anfangs war es eiskalt gewesen; jetzt schien es ihre Finger zu verbrennen. Sie wußte, was sie damit tun mußte.

Ah, dieser McByron war ein kluger Kopf. Seine Unverfrorenheit jagte ihr nachträglich einen Schauer über den Rücken. Er hatte es gewagt, seine Waffe vor den Augen von Millionen Zuschauern weiterzugeben und seine Botschaft des Zweifels zu verkünden.

Was für ein Mann!

Neata trat in den Schnee hinaus. Sie mußte das Ding an Ricks Helikopter anbringen. Armer Rick — aber er würde es nie erfahren! Der Gedanke, daß sie bei einer mächtigen, schweigenden Revolution mithalf, verlieh ihr Entschlossenheit.

Rasch bückte sie sich und befestigte den Anti-Entstörer an Ricks Helikopter.

Mrs. Snowden verfiel zusehends. Seit kurzem trug sie ein Kärtchen bei sich, auf dem in großen Buchstaben NICHT stand. Damit hielt sie Pauline in Schach.

Das ungleiche Paar — die schmuddelige Kleine und die ältere Dame in ihrer schäbigen Eleganz — erreichten den Nebeneingang des Hauses. Während Pauline über die Gartenplatten hüpfte, betrachtete Mrs. Snowden nachdenklich die leeren Beete. Der Frühling war mit einiger Verzögerung eingetroffen, doch die Pflanzen wollten nicht sprießen. Nicht einmal die Osterglocken kamen heuer aus der Erde.

»Das verstehe ich nicht«, murmelte Mrs. Snowden. »Osterglocken wachsen doch auf jedem Boden.« Dennoch überlegte sie, welche Gründe es für ihr Ausbleiben geben konnte. Frost, Ameisen, Mäuse, Katzen . . . oder die Vibrationen. Das war es vermutlich. Seit dem Ausbruch der Feindseligkeiten vor mehr als sieben Jahren machten die Vibrationen alles kaputt.

Pauline verschwand in der Diele. Mrs. Snowden blieb auf der Veranda stehen und warf einen Blick auf die Häuser jenseits der hohen Backsteinmauer, die ihren Garten umschloß. Ursprünglich hatte die Villa auf freiem Feld gestanden; aber nun rückten die häßlichen Reihenhäuser gleich von drei Seiten heran. Müde ging sie ins Haus und schloß die Tür hinter sich.

Ihre Enkelin marschierte durch das Wohnzimmer und schlug sich mit einem Topfdeckel auf den Kopf. Auf diese Weise konnte sie den Lärm hören, den das Ding machte. Mrs. Snowden griff nach der NICHT-Karte, doch dann ließ sie die Hand sinken. Sie verbot dem Kind ohnehin zuviel. Das durfte nicht zur Gewohnheit werden.

Die alte Dame schaltete das Fernsehgerät ein. Seit der Rückeroberung Islands gab es wenigstens abends wieder ein anderthalbstündiges Programm. Die Stromkreise erwärmten sich, der Bildschirm begann zu flimmern. Ein Mann und eine

Frau tanzten, feierlich, ohne Musik. Für Mrs. Snowden hatte das ebensoviel Sinn wie ein Buch mit leeren Seiten, aber Pauline ließ ihren Deckel fallen und kam näher. Sie lächelte; ihre Lippen bewegten sich. Sie sprach mit den Figuren.

NICHT, kreischte Mrs. Snowdens stumme Karte.

Pauline schnitt eine Grimasse und sprang über die Sessel, als ihre Großmutter die Hand hob.

Wütend schleuderte Mrs. Snowden die Karte quer durch das Zimmer und schrie los. Sie schüttelte die hageren Fäuste. Mußte sie immer wieder an ihre Gebrechlichkeit erinnert werden? Dann sank sie auf den Klavierhocker — das Klavier, die teure, erloschene Musik! — und schluchzte. Sie wußte, daß sie laut geschrien hatte, aber sie hörte ihre eigene Stimme wie ein dumpfes Murmeln durch dicke Watteschichten. An diesem Punkt brach sie immer zusammen.

Das kleine Mädchen trippelte auf sie zu und starrte ihr frech ins Gesicht. Es wußte nicht, was Hören bedeutete. Es kannte vom Mutterleib an nur die Stille. Seine Gleichgültigkeit erschien Mrs. Snowden wie ein Hohn.

»Du Biest!« sagte Mrs. Snowden. »Du grausames, dummes kleines Biest!«

Pauline antwortete etwas — stammelnde Laute, die sich nie zu Worten formen würden. Dann trat sie ruhig ans Fenster, deutete in den grauen Abend und zerrte an den Vorhängen. Mrs. Snowden nahm sich zusammen. Natürlich, sie mußten das Haus verdunkeln. Sie stand auf und holte die Karte hinter dem altmodischen Sofa aus dem zwanzigsten Jahrhundert hervor. Dann gingen sie gemeinsam durch die Zimmer und zogen die schwarzen Samtfalten vor die Scheiben.

Pauline begann wieder zu hüpfen. Wie sie das mit den wenigen Kalorien schaffte, war ein Rätsel. Die Fröhlichkeit der Kleinen steckte Mrs. Snowden an. Sie lief lachend hinter dem Kind her, die Treppe hinauf und in die Schlafkammern. Pauline ließ sich vergnügt auf ihr Bett plumpsen.

Ihre Großmutter zog sie aus, wickelte sie in die ausgefranste Bettdecke und gab ihr einen Gutenachtkuß. Dann löschte sie das Licht und ging langsam nach unten. Alles war dunkel.

Pauline wartete einen Augenblick, bis sie sicher war, daß Mrs. Snowden das Wohnzimmer betreten hatte. Sie huschte aus dem Bett, rannte ins Bad, öffnete das Medizinkästchen und nahm das Glas mit den Schlaftabletten heraus. Nachdem sie eine der Pillen geschluckt hatte, stellte sie das Glas an seinen Platz zurück. Die Badezimmertür knallte ins Schloß, aber niemand hörte es.

Pauline stapfte zu ihrem Bett, durch die Stille, die nie unterbrochen wurde. Unterwegs schnitt sie Gesichter, um die Dunkelheit zu vertreiben. Sobald sie in den Kissen lag, drangen die Bilder wieder auf sie ein. Nur deshalb nahm sie Großmutters Pillen. Sie bekämpften die Bilder und wandelten sie in ein Nacht-Nichts um.

Da war ein weiches Geschöpf, das Pauline herumgetragen und das für sie gesorgt hatte; es kam jetzt nie mehr. Wenn Pauline dieses Bild sah, traten ihr immer Tränen in die Augen.

Nun hatte sie nur noch diese dünne, langweilige Person, die alt roch. Pauline haßte ihre steifen Finger und die Karten mit den komischen Zeichen, die sie nicht verstand. Wer war die Fremde, und was wollte sie von ihr?

Dann ein neues Bild. Das große Zimmer am anderen Ende der Straße, in das Pauline jeden Morgen gebracht wurde. Es war voll von kleinen Menschen, einige wie sie, andere mit kurzem Haar und ungestümen Bewegungen. Zwischen den Bänken gingen große Menschen auf und ab, wieder mit Karten, auf denen Zeichen standen; sie versuchten sich mit verzweifelten Gesten und Grimassen verständlich zu machen.

Und zum Schluß die Sehnsucht. Etwas, das sie brauchte und nicht zu fassen bekam; etwas, das sie verloren hatte ...

Die Pille begann zu wirken, und Pauline schlief ein.

Mrs. Snowden schaltete müde den Stummfilm aus. Einen Moment lang hatte sie das Geschehen auf dem Bildschirm beobachtet und die Texte dazu gelesen:

Jean: ›Dann — hast du gewußt, daß er nicht mein Vater war, Denis?‹

Denis: ›Von dem Moment an, als wir uns in Madrid trafen!‹

Jean: ›Und ich hatte mir geschworen, mit keiner Menschenseele darüber zu sprechen.‹

Seufzend preßte Mrs. Snowden beide Hände gegen die Schläfen. Das Fernsehen unterstrich ihre Einsamkeit nur. Sie dachte spöttisch an die Schlagzeilen in den Zeitungen. Den ›Zivilisierten Krieg‹ nannten sie diesen jüngsten Konflikt. Einen Moment lang sehnte sie sich nach den guten alten Schlachten, in denen man anonym unter grauen Gestalten im Luftschutzbunker saß und mit leeren Augen vor sich hinstarrte. Jetzt war man gezwungen, sich selbst mit all seinen Fehlern zu ertragen.

Gleich zu Beginn des Krieges hatten sie ihren Mann für einen Geheimauftrag eingezogen. Wo er sich aufhielt, erfuhr sie nie. Bis vor zwei Jahren war alle Weihnachten eine Postkarte von ihm gekommen; dann hörte auch das auf. Sie hatte keine Ahnung, ob er noch lebte. Die Frage wühlte sie auch nicht mehr auf.

Mrs. Snowden war zu ihren Eltern aufs Land gezogen, nachdem man sie an der Universität entlassen hatte. Im Moment herrschte nur noch auf den technischen Fakultäten Betrieb. Die harten Winter hatten erst ihre Mutter, dann ihren Vater dahingerafft. Etwas später kam ihre verheiratete Tochter bei einem Vibrations-Angriff ums Leben. Mrs. Snowden hatte das Baby Pauline bei sich aufgenommen.

Alles trockene Fakten, dachte sie. Man zählte sie auf, um zu erklären, wie die Situation entstanden war; aber die Situation selbst zu erklären . . .

Kein Mensch auf der ganzen Welt konnte mehr einen Ton hören. *Das* war das einzig Wesentliche.

Sie sprang auf und schob einen Zipfel des Vorhangs zur Seite. Ein schmutziger Streifen Tageslicht hing noch über den

Kaminen. Je dichter sich diese Reihenhäuser zusammendrängten, desto stärker spürte sie ihre eigene Einsamkeit.

Mrs. Snowden ging in die Küche und holte sich etwas zu essen. Vibrokulturen, fade, aber sie füllten den Magen. In den Krankenhäusern von England lagen ebenso viele Beriberi-Kranke wie Verwundete. Der Schall regierte eine Welt der Gehörlosen. Er zerstörte die Häuser, tötete die Soldaten, durchlöcherte die Trommelfelle und ließ synthetische Proteine aus Aminosäure-Gemischen aufquellen.

Die Schall-Revolution war mit dem Beginn des neuen Jahrhunderts gekommen, nach dreißig Friedensjahren. Der Fortschritt hatte eine neue Richtung eingeschlagen. Quarzplatten, elektrostatisch beansprucht — es war so einfach! Man konnte nahezu alles damit erreichen. Das spektakulärste Ergebnis war der Krieg.

Mrs. Snowden aß das aufgeblähte Zeug mit Würde. Sie bemühte sich, an andere Dinge zu denken. Etwas ließ sie aufschauen. Auf dem Kaminsims befand sich ein Behälter mit Lycopodium — eine primitive Warnanlage, die jeder Haushalt besaß. Wenn Vibrations-Alarm gegeben wurde, geriet das Lycopodium in Bewegung. Und genau das war jetzt der Fall.

Sie wußte, daß sie nun eigentlich Pauline holen und mit dem Kind ins Freie laufen sollte. Bei Vibrations-Alarm liefen alle ins Freie und warteten geduldig, bis die Schallwellen die Häuser erfaßten und zu Staub zermalmten. Mrs. Snowden hatte keine Lust mehr dazu. Sie stand nicht gern in der Kälte herum, in dem ewigen Schweigen.

Sie trug ihren Teller in die Küche. Als sie ins Wohnzimmer zurückkam, lag eine Reproduktion von Mellors ›Ägypterin‹ am Boden. Rahmen und Glas waren zersprungen.

Mrs. Snowden eilte ans Fenster und sah hinaus. Die Häuser, die sie eingeengt hatten, waren verschwunden.

Sie ließ den Vorhang los und rannte die Treppe hinauf, wo sie das kleine Mädchen wachrüttelte.

»Die Häuser«, stammelte sie. »Die Häuser sind fort!«

Stille. Die Kleine blinzelte.

Mrs. Snowden trug sie in den Vorgarten. Sie ließ die Tür offenstehen. Ein breiter Lichtkeil sickerte auf die leeren Beete. Irgendwo hoch oben lauerte vielleicht ein Monitor, aber sie war zu erregt, um darauf zu achten.

Um sie erstreckte sich meilenweit eine sanft gewellte Wüste. Durch einen verrückten Zufall war ihr Haus allein stehengeblieben. Sie empfand es nicht als Katastrophe, sondern als Befreiung.

Dann erspähte sie die Riesen.

Wie groß mochten sie sein? Vier, fünf Meter? Oder noch größer? Feindliche Truppen, dachte Mrs. Snowden entsetzt. Das war die neueste Anwendung der Vibrationen: Sie vergrößerten das menschliche Zellgewebe. Irgendwo hatte sie gelesen, daß diese Riesen nicht lange am Leben bleiben konnten, aber die Furcht überlagerte diesen Gedanken.

Die Riesen war jetzt höher als ein Haus. Sie torkelten und taumelten wie betrunkene Tänzer.

Ein Gefühl der Unwirklichkeit erfaßte Mrs. Snowden. Pauline weinte.

Kühle setzte sich in ihren Gliedern fest. Sie zitterte, weil sie etwas Fremdes spürte. Langsam hob sie eine Hand an die Augen. Die Hand war weit, weit weg. Mrs. Snowden *wuchs*.

In diesem Moment erkannte sie, daß die Riesen keine Feinde waren, sondern Opfer. Man holte die Leute aus ihren Häusern. Eine Sorte von Schallwellen ebnete die Häuser ein; die andere blähte die Menschen auf, machte sie zu grotesken Gummimarionetten. Einfach. Zivilisiert.

Mrs. Snowden schwankte wie ein dünner Mast. Sie tat einen unbeholfenen Schritt nach vorn, um das Gleichgewicht zu halten. Keine Schmerzen. Nur ein Gefühl der Betäubung. Und des Wachsens.

Sie konnte immer noch die tanzenden Riesen sehen. Nun verstand sie, weshalb sie tanzten. Sie versuchten sich anzupassen. Bevor es ihnen gelang, brannte ihre Lebensenergie aus. Sie kippten in die Wüste, gigantische, staubbedeckte Leichen, erfüllt von Schall und Stille.

Sie dachte belustigt: Das ist die erste Abwechslung seit Jahren. Dann versagte ihr Herz.

Sie fiel nach vorn. Das Kärtchen mit dem Wort NICHT flatterte zu Boden.

Pauline überragte ihre Großmutter bereits. Die jungen Zellen wucherten. Sie stieß einen verwunderten Ruf aus, als sie in den dunklen Himmel wuchs. Sie sah, wie die alte Frau stürzte. Sie sah den winzigen Lichtspalt, der aus der Haustür drang. Sie tat einen Schritt in die Wüste hinaus, um ihr Gleichgewicht zu halten. Sie begann zu laufen. Sie spürte die Wärme der Sterne, die Erdkrümmung.

In ihrem Gehirn tanzten die entzückten Gedanken wie Wespen in einem Honigtopf, Fliegen in einer Kapelle, Mücken in einer Fabrik, Funken, die einen unendlich hohen Rauchfang hinaufstoben, ein Komet, der für immer durch die lautlose Leere fiel, eine Stimme, die in einem neuen Universum sang.

Die besten SF-Stories aus
THE MAGAZINE OF FANTASY AND SCIENCE-FICTION

dem berühmten amerikanischen SF-Magazin,
das soeben zum vierten Mal in ununterbrochener
Folge den HUGO erhielt, den „Oscar"
der internationalen Science Fiction.
Die deutsche Ausgabe des Magazins erscheint
regelmäßig seit mehr als zehn Jahren im Heyne-Verlag.

WILHELM HEYNE VERLAG · 8 MÜNCHEN 2

Fantasy-Serien in der Reihe Heyne-Science Fiction

Camp/Carter:
Conan von den Inseln
3295 / DM 2,80

Robert E. Howard:
Conan
3202 / DM 2,80

Conan von Cimmeria
3206 / DM 2,80

Conan, der Freibeuter
3210 / DM 2,80

Conan, der Wanderer
3236 / DM 2,80

Conan, der Abenteurer
3245 / DM 2,80

Conan, der Krieger
3258 / DM 2,80

Conan, der Usurpator
3263 / DM 2,80

Conan, der Eroberer
3275 / DM 2,80

Conan, der Rächer
3283 / DM 2,80

Conan, der Bukanier
3303 / DM 2,80

John Norman:
GOR – Die Gegenerde
3355 / DM 2,80

Der Geächtete von GOR
3379 / DM 2,80

Die Priesterkönige von GOR
3391 / DM 3,80

Die Nomaden von GOR
3401 / DM 2,80

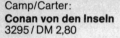

Fritz Leiber:
Schwerter gegen den Tod
3315 / DM 2,80

Schwerter und Teufelei
3307 / DM 2,80

Schwerter im Nebel
3323 / DM 2,80

Schwerter gegen Zauberei
3331 / DM 2,80

Die Schwerter von Lankhmar
3339 / DM 3,80

Nutzen Sie den Heyne-Informationsdienst

Denn bei Heyne weiß man: Leser wollen informiert sein. Und das ist nicht einfach bei einem Programm, das jeden Monat fast 30 neue Taschenbücher bringt, die in der ganzen Welt gelesen werden. Füllen Sie einfach den untenstehenden Coupon aus. (Bitte in Blockschrift.) Ausschneiden, auf Postkarte kleben oder in Briefumschlag stecken. Und tun Sie das noch heute!*) Dann haben Sie in wenigen Tagen das neueste, ausführliche Gesamtverzeichnis der Heyne-Taschenbücher, wie Tausende treuer Freunde der Heyne-Taschenbücher. Kostenlos und unverbindlich, versteht sich.

Coupon

An den Wilhelm Heyne Verlag
8 München 2, Postfach 20 12 04

Bitte senden Sie mir kostenlos und unverbindlich das Gesamtverzeichnis der Heyne-Taschenbücher.

Name ....

Vorname ....

Postleitzahl ....

Ort ....

Straße ....

*) Es genügt auch, wenn Sie auf eine Postkarte das Stichwort »Information« schreiben.